La collection
ROMANICHELS PLUS
est dirigée par
Josée Bonneville

L'Amérique

Du même auteur

Oui, cher, récit, Montréal, Cul Q, 1976.
Chaises longues, livre-objet, Montréal, Cul Q, 1977.
Portrait d'intérieur, poésie, Trois-Rivières, APLM, 1981.
Poèmes de Babylone, poésie, Trois-Rivières, Écrits des Forges, 1982.
Black Diva, poésie, Montréal, Lèvres urbaines, n° 5, 1983.
Soleils d'acajou, roman, Montréal, Nouvelle Optique, 1983.
Taxi, poésie, Trois-Rivières, Écrits des Forges, 1984.
Dimanche après-midi, poésie, Trois-Rivières, Écrits des Forges, 1985.
La peau du cœur et son opéra, poésie, Saint-Lambert, Le Noroît, 1985.
Les garçons magiques, poésie, Montréal, VLB éditeur, 1986.
Suite contemporaine, poésie, Trois-Rivières, Écrits des Forges, 1987.
Les cendres bleues, poésie, Trois-Rivières, Écrits des Forges, 1990, 1991, 1998, 2001.
Rituels d'Amérique, poésie, avec eaux-fortes de Jocelyne Aird-Bélanger,
Val-David, Éditions Incidit, 1990.
Black Diva, selected poems, traduction de Daniel Sloate, Montréal, Guernica, 1991.
Les chambres de la mer, poésie, Bruxelles, L'Arbre à paroles, 1991.
Les poses de la lumière, poésie, Montréal, Le Noroît, 1991.
Du dandysme, Laval, Trois, 1991.
Les cendres bleues, voix/textes, Paris, Artalect, 1992.
« Lèvres ouvertes », poésie, Trois-Rivières, *Lèvres urbaines*, n° 24, 1993.
Poèmes faxés, poésie, en collaboration avec Louise Desjardins et Mona Latif-Ghattas, Trois-Rivières, Écrits des Forges, 1994.
Fusions, poésie, avec eaux-fortes de Jocelyne Aird-Bélanger, Val-David, Édtions Incidit, 1994.
111 Wooster Street, poésie, Montréal, VLB éditeur, 1996.
Taxi pour Babylone, poésie, Trois-Rivières, Écrits des Forges/ L'Orange bleue, 1996.
Les saisons de l'Ange, poésie, Montréal, Le Noroît, 1997.
L'Amérique, poésie, Montréal, XYZ éditeur, 1993, 1999.
Blue Ashes (Selected Poems 1982-1998), Toronto, Guernica, 1999. Traduction par Daniel Sloate.
Les saisons de l'Ange (tome II), poésie, Montréal, Le Noroît, 1999.
Le Désert rose, roman, Montréal, Stanké, 2000.
Le poème déshabillé, collectif, poésie, Ottawa, Les Éditions L'Interligne, 2000.
Les versets amoureux, poésie, Trois-Rivières/Luxembourg, Écrits des Forges/PHI, 2001.
Lèvres ouvertes, poésie, Montréal, Lanctôt, 2001.
Roses labyrinthes, poésie, Paris, Le Castor Astral, 2002.

Jean-Paul DAOUST

L'AMÉRIQUE

poème en cinémascope

Romanichels Plus

Dossier d'accompagnement présenté par Claude Gonthier

La publication de cet ouvrage a été rendue possible grâce à l'aide financière du ministère du Patrimoine canadien par l'entremise du Programme d'aide au développement de l'industrie à l'édition (PADIÉ), du Conseil des Arts du Canada (CAC), du ministère de la Culture et des Communications du Québec (MCCQ) et de la Société de développement des entreprises culturelles (SODEC).

Dépôt légal : 1er trimestre 2003
Bibliothèque nationale du Canada
Bibliothèque nationale du Québec
ISBN 2-89261-345-0

Distribution en librairie :

Au Canada :
Dimedia inc.
539, boulevard Lebeau
Ville Saint-Laurent (Québec)
H4N 1S2
Téléphone : 514.336.39.41
Télécopieur : 514.331.39.16
Courriel : general@dimedia.qc.ca

En Europe :
D.E.Q.
30, rue Gay-Lussac
75005 Paris, France
Téléphone : 1.43.54.49.02
Télécopieur : 1.43.54.39.15
Courriel : liquebec@noos.fr

Conception typographique et montage : Édiscript enr.
Maquette de la couverture : Zirval Design
Photographie de l'auteur : Mario Savoie

à Adrienne et Aldora Beausoleil[1]

The United States themselves
are essentially the greatest poem[1].

Walt Whitman

Mots de villes américaines en devenirs
Los Angeles se regarde à la vitesse
de l'automobile
l'image de la pieuvre semble réaliste
Big Apple[1] pour New York
surréalisme
dans le Grand Canyon l'avion s'engouffre
pour admirer
les entrailles de
L'AMÉRIQUE
pendant qu'au Texas un cow-boy prend des notes à savoir
comment se comporter en fonction des films du genre
à la frontière mexicaine symbole
on dit de L'AMÉRIQUE qu'elle est
la nouvelle Égypte
la nouvelle Rome
la nouvelle Babylone[2]
les stars momifiées dans leurs parures d'or
on connaît davantage leur vie que la nôtre
entre un commercial de Pepsi et

d'American Express
L'AMÉRIQUE
fun City[1]
windy City[2]
do it in AMERICA
la Liberté est une statue derrière le Titanic
L'AMÉRIQUE a le sang vert
les parfums troubles de ses villes neuves
plus puissantes que des pays
ses autoroutes grandiloquentes
L'AMÉRIQUE
ses rêves cruels
ses désirs féroces
propulsés jusqu'aux étoiles
qu'elle a greffées sur son drapeau
sur la peau américaine
ses face-lifts
ses liposuccions
ses diètes
maigrir ou engraisser

ses cosmétiques
ses modes
ses expériences
qu'elle récupère le jour même
le corps américain qui invente
des danses
des décors
des poses
L'AMÉRIQUE programme
les cœurs
it's a soap opera affair [1]
les corps
Rambo et Cie against
le mal [2]
L'AMÉRIQUE
her check book [3]
les noms les chiffres
qui roulent vite très vite
l'argent l'or
up and

down
L'AMÉRIQUE
ses religions
ses fanatiques
combien ?
in AMERICA
même le ciel se moque
l'enfer s'obscurcit
car L'AMÉRIQUE craint une guerre sainte
car L'AMÉRIQUE est un hamburger
deluxe
qui niaise le tiers monde
L'AMÉRIQUE ses accents
from Boston to L.A.
from Detroit to Miami
from New York to Dallas
L'AMÉRIQUE aime jouer
d'Hollywood à la Maison Blanche
de Las Vegas à 42nd street [1]
de Cap Canaveral [2] à Prudenville [3]

un aigle avec un lièvre [1]
L'AMÉRIQUE avec la planète
de Disneyland à Moscou
d'Atlantic City à Genève
de Broadway à Bagdad
L'AMÉRIQUE
ses banques illimited
ses usines signées
ses droits
ses copyrights
L'AMÉRIQUE écrit
dans le sang
des contes
Viêt-nam Stars War
Cuba Graceland [2]
Irak Dollywood [3]
L'AMÉRIQUE nouvel Ouranos [4]
ses enfants choyés qu'elle immole
chaque jour
in East Village [5]

on Sunset Boulevard[1]
L'AMÉRIQUE ses ambassades piégées
ses reproches font trembler
ses moues font ramper
L'AMÉRIQUE le dragon à abattre
pendant que les stars dorment
dans des lits de cristal
L'AMÉRIQUE plus forte que jamais
dans le champagne
dans la coke
dans les vidéos
dans les cerveaux
come in AMERICA
where everything is possible
L'AMÉRIQUE textualise
sa simulation
son réel imaginé
passionné
son nouveau lyrisme
L'AMÉRIQUE

ses labyrinthes
ses minotaures [1]
des pays en offrande sur des plateaux
de cuivre
d'argent
de paille
qu'elle mange
sans même s'en apercevoir
quand L'AMÉRIQUE engraisse
le reste du monde maigrit
quand L'AMÉRIQUE maigrit
le reste du monde crève de faim
L'AMÉRIQUE ses solutions
atomiques
nucléaires
biotechnologiques
who isn't afraid of AMERICA [2] ?
even AMERICA is afraid of
AMERICA [3]
fast food

fast thinking
fast fuck
fast life
mais
la mort
live now die later
L'AMÉRIQUE oui son sang vert
d'extraterrestre
son ciel perturbé
L'AMÉRIQUE un cimetière d'étoiles
from coast to coast
Broadway Hollywood Boulevard
L'AMÉRIQUE vend tout le temps
le temps
qu'elle va bientôt contrôler
comme le reste
L'AMÉRIQUE négocie
son aide
L'AMÉRIQUE swings
like a virgin

like Tarzan
dans les jungles amazoniennes
ses orchidées plastique
ses sourires rhinestone [1]
ses blagues western
pow pow t'es mort
L'AMÉRIQUE is such a nice uncle [2]
ses mélodrames
booze
antidépresseurs
Betty Ford Center [3]
ses hontes
cheap labor cotton style [4]
L'AMÉRIQUE qui nous habite tous et toutes
jusqu'au vertige de la faute
L'AMÉRIQUE est un dinosaure qui rêve
ses cauchemars
L'AMÉRIQUE a la maladie de ses remèdes
where life begins at forty
la vieillesse parquée dans ses richesses paranoïe

enjoy yourself it's later than you think
L'AMÉRIQUE ses yeux technicolor [1]
qui repeint ses noirs et blancs
l'allégorie de ses Everglades
L'AMÉRIQUE comparaison encore inconnue
image insaisissable
quoi de plus riche de plus cheap que
L'AMÉRIQUE
U.S.A La Terre
ci-gisent pour l'instant tous les espoirs du monde
L'AMÉRIQUE sa violence
un meurtre y est commis toutes les vingt-trois minutes
un viol toutes les six minutes
des voies de fait toutes les quarante-huit secondes
un crime toutes les deux secondes
la violence déjà désuète de ces chiffres
L'AMÉRIQUE charmante voisine chez qui on va quêter
des illusions
L'AMÉRIQUE qu'une expression
qu'un mot

MONTRÉAL
face à face
corps à corps
avec

L'AMÉRIQUE

L'AMÉRIQUE où scintillent des casinos
au cœur de ses déserts
peuplés de rois déchus
sur les écrans de ses yeux des hologrammes
de guerres
de stratégies
L'AMÉRIQUE et ses danses aérobiques
dans ses ruelles les corps hostiles s'affrontent
en dansant
fouetté le reste du monde apprend
à se mouvoir
sur des pistes miroitantes made in
AMERICA

remember rock'n'roll
que le rap zappe
L'AMÉRIQUE rutile de gadgets
électriques
électroniques
synthétiques
magnétiques
psychologiques
philosophiques
théophysiques
name it
L'AMÉRIQUE qui semble ne jamais s'ennuyer
L'AMÉRIQUE menaçante menacée
de Nostradamus à
who's next ?
ses stars qui s'écroulent dans le Pacifique
les cendres de leurs volcans éphémères
L'AMÉRIQUE la prude
la granola
la toute nue

on a dit que ses trottoirs étaient faits d'or
et des millions de personnes l'ont cru
L'AMÉRIQUE a pillé le monde entier pour se faire
des musées
des styles
des recettes
pour se donner
sans cesse le goût du nouveau
alors qu'en 1492
et sur le plus ancien globe terrestre conservé
L'AMÉRIQUE ne figure pas
L'AMÉRIQUE un échiquier
où the game is never over
L'AMÉRIQUE ses TV guides
ses TV dinners
L'AMÉRIQUE a généreusement importé ce qu'elle n'avait pas
a exporté ses excès
Coca-Cola la boisson la plus vendue au monde
là où la fortune moyenne des quatre cents américains les plus riches frôle
le milliard

Robert Guccione du magazine Penthouse vaut combien ?
it's a porno affair
voilà à peine quatre siècles L'AMÉRIQUE ne valait rien
quand L'AMÉRIQUE s'invente de nouveaux hamburgers
la gloire la richesse la culture
l'université McDonald's
sur ses territoires règne l'odeur de l'aventure
le parfum âcre de
On The Road[1]
dans le smog de L.A. la mer se mêle au sang des drogués
L'AMÉRIQUE
la sueur de ses villes tentaculaires
qui empoisonne jusqu'à la vie du ciel
à Universal Studio Disneyland
ces visages curieux
béats
sans pudeur
là L'AMÉRIQUE fait un show
de son mythe
les ordinateurs qui sécurisent

le mécanisme du star system
ce fleuve de rêves où L'AMÉRIQUE
noie ses enfants
Mickey Mouse semble un magicien si gentil
pour faire ce parfum hollywoodien il faut broyer
combien d'idoles ?
ici le génie du renouveau
coûte que coûte
quand L'AMÉRIQUE s'invente des dynasties
star star star
mot mantra de L'AMÉRIQUE
une star se promène sur la grève de Malibu
et personne ne s'en soucie
sa solitude
puisqu'elle est enfin chez elle
anonyme
ces collines derrière   les Himalayas du rêve
puisqu'ici le destin sera celui de l'Atlantide
un des puissants karmas de   L'AMÉRIQUE
et au nord   Détroit

the heavy beat of Detroit
General Motors ou Ford ou Motown[1]
where the beat goes on
walk at your own risk downtown[2]
les Noirs parqués se révoltent
autour d’autres noms de villes satellites
Dodge City
Buick City
Pontiac City
Cadillac City
mais puisqu’avec Kalamazoo[3]
L’AMÉRIQUE a réussi
à faire une chanson
it’s show time folks
and Chicago
the Windy City
où trône for now
le plus haut gratte-ciel au monde
jadis les gangsters
maintenant ses musées

ses plages
sur la ville plane l'ambiance
du défendu
life can be such a good thriller
en AMÉRIQUE
là souvent le président est
un comédien de métier
ou en train de l'apprendre
L'AMÉRIQUE se veut honnête pour mieux jouer
jusque dans les coulisses
de ses villes
folles
névrotiques
beware
take a cab [1]
autour de la Maison-Blanche
les boulevards du crime
there's always a killer on the street
en AMÉRIQUE
on a réinventé les mots

Biggest Finest Wonderful
le pays du superlatif
L'AMÉRIQUE il ne lui manque plus qu'un pape
L'AMÉRIQUE le pays du self-made man [1]
où il y a plus de dix millions de mâles impuissants
sexuellement
de femmes ?
on a dit que Marilyn était frigide
on dit tellement de choses in Lotusland [2]
L'AMÉRIQUE broie ses traditions
patauge dans le futur
L'AMÉRIQUE une chrysalide
qui n'arrive plus à faire le décompte
de ses morts
son quotidien surveillé
par la CIA
la NASA
les doigts ont des crampes au volant
des bolides
sur les trottoirs la psychose

tapie au fond des limousines
la peau fatiguée se protège
du rayon mortel des regards
en AMÉRIQUE
les anges se croient possédés
à coups de milliards elle cherche
l'exorcisme
final
24 heures par jour L'AMÉRIQUE écoute
les étoiles
elle leur parle
elle les observe
en AMÉRIQUE le silence a disparu
les enfants croient qu'il n'a jamais existé
pourtant d'un jour à l'autre les écrans sont plus songeurs
les actes de L'AMÉRIQUE sont des poses
des ombres
sur les décors de son imaginaire
où les désirs sont fossilisés
les soifs organisées

les manques réussis
les absolus codifiés
mais les yeux restent top gun
sous leur maquillage
et dans les teintes criardes de ses fards
L'AMÉRIQUE s'invente
une civilisation
regardez-les accoudés dans des bars feutrés
dans des bars bruyants
regardez-les se regarder
dans des écrans miroirs
jamais les mythes qu'on dit oubliés n'auront été
si vivants
si puissants
L'AMÉRIQUE est pleine
de Rimbauds[1] florissants
de Narcisses[2] cruels
façonnez la planète à mon image
dit Washington
dit Hollywood

dans l'écran glauque de ses yeux L'AMÉRIQUE exhibe
le cirque de ses monstres
copies conformes à ses terreurs intérieures
qui cherchent
the final exit
d'un mot à l'autre le délire
nouvelle toile d'araignée
de L'AMÉRIQUE
prise au filet du rêve
où les badauds s'entassent devant
ses vitrines irrésistibles
L'AMÉRIQUE overload
mais Xanadu [1] rosebud [2]
et le cristal éclate
le sarcophage aluminium le corps bombardé
cobalt story [3]
les envahisseurs traqués
dans le ciel
dans la peau
la stupeur la rage mais

AMERICA AMERICA AMERICA

chantent en chœur les pays de la planète
en guerre
comme en paix
pont suspendu au-dessus du Styx[1]
le temps métamorphosé
les looks caméléon
les traditions
gadgets obsolètes
de L'AMÉRIQUE où
les vies privées des politiciens
se doivent d'être pasteurisées
à la porte de la Maison-Blanche
et au Palais des Glaces de Tokyo[2] à l'hiver 1992
une réplique fidèle
of the White House
fait rêver les Japonais
elle montre toutes ses dents

pour sourire
jusqu'aux gencives
rouges
gorgées de sang
L'AMÉRIQUE sur toute la planète
retranscrit les pulsations de sa vie
CNN is right there at the right time [1]
mais la mort
pas le temps d'y penser
very busy
time is money
L'AMÉRIQUE ses sorciers puissants Wall Street
des bons des méchants
sexy cowboys maudits sauvages
L'AMÉRIQUE it's a western story
la course
aux armements
aux Emmys
aux Grammys
aux Tonys

aux Oscars [1]
tout le monde veut être au top
de L'AMÉRIQUE
if you can make it there
you'll make it anywhere [2]
chante-t-elle
de New York à Hollywood
qui brille
telle une sirène névrosée
échouée
dans les collines de Beverly
dans les rues de Bel-Air [3]
sur les plages de Malibu
partout la police
dans les quartiers défavorisés de L'AMÉRIQUE
la violence se prépare
dans l'œil de la télé
Cyclope insipide
L'AMÉRIQUE reste sur ses gardes
invente la recette micro-ondes du bonheur

ses yeux palimpsestes
chaque vie still life
formule pauvre dans l'almanach
des samedis soirs
où sur les lèvres flamboyantes des stars
on calque des moues agressives
nouvelles idoles perdues
the devil in Mrs Jones[1] is
everywhere
dans la quarante-deuxième rue de n'importe quelle ville
les caresses qu'on shoote
de sperme contaminé
pour se débarrasser
take it you fuckin' cunt
you fuckin' queer[2]
tout est à vendre en AMÉRIQUE
tout est à louer
des bungalows aux utérus
dans les toilettes de L'AMÉRIQUE des poètes urbains
vomissent

des écritures condamnées
aux oubliettes
du voyeurisme
pour chaque geste de L'AMÉRIQUE
push and pull
love and hate
en AMÉRIQUE les phobies constituent le désordre mental
le plus répandu
et le Fort Knox[1] est un des endroits les mieux gardés du monde
la folie de l'or
le soleil ne se couche jamais sur son négoce
et comme la poussière d'or est la plus lourde
les radars filtrent le chant de leur chute
nouvel Icare filmé
à développer dans des tombeaux
où vivent les corps désabusés de
L'AMÉRIQUE
un laissez-passer
pour liberté surveillée
en AMÉRIQUE où on réinvente

les anges
les mains liées à l'ordinateur un poète a peur
d'être avalé vivant
par L'AMÉRIQUE
où d'un état à l'autre
L'AMÉRIQUE se sculpte un visage
à même le flanc de ses montagnes
en AMÉRIQUE on dit Power is an aphrodisiac
à l'Halloween la fête du diable à Détroit 1989
810 incendies criminels
avis aux pyromanes du monde entier
let's have a party in AMERICA
where it is such a nice place to be
et dans l'asphalte de L'AMÉRIQUE
des poèmes de sang
dans le réel de sa fiction
lors du passage du cyclone Gloria à New York
le gouverneur faisait écrire
sur les écrans de télé
this is not a japanese movie

this is for real[1]
voilà où en est rendue L'AMÉRIQUE
dans sa fiction du réel
Tokyo 15 millions d'habitants
40 000 policiers
qui durant l'année ne tirent que quelques balles
à New York
devinez ?
for love and money money money money money money
et nos lois
nos hits
copiés
car les étoiles n'appartiennent qu'à L'AMÉRIQUE
qui les collectionne
L'AMÉRIQUE un prêt-à-porter
un cilice pour l'âme
un tiers du commerce mondial vers les États-Unis se fait
en nature
90 pays dont le Québec
prostitution esclavage

le tout enrobé d'un sourire
close-up
d'un rêve à l'autre les cauchemars
les dégâts
de la couche d'ozone
aux jungles amazoniennes
aux forêts laurentiennes
le rire gras de L'AMÉRIQUE
qui se bidonne
dans ses radios
ses télés
ses cinémas
ses journaux
pendant que la planète roule vers l'abîme
où prie l'archange du mal
des objections à
L'AMÉRIQUE
elle montre ses muscles
qui ne fléchiront pas
qui ne mourront pas

John Wayne[1]
Mr T[2]
The Big Hulk[3]
Sylvester Stallone[4]
Arnold Schwarzenegger
dans ses bureaux L'AMÉRIQUE érige déjà sa version
de l'Histoire
d'autres structures jetées en vrac
sur le néant
aux nouvelles du jour
du soir
les achats américains à « notre » bourse
ont quintuplé
et ailleurs
affichons notre sourire bamboo
voilà le destin paresseux à l'œuvre
nos cœurs traduits
spoliés
trahis
pour une annonce de General Motors

de Revlon
de Corn Flakes
L'AMÉRIQUE
là bougent les idées nouvelles
là s'inventent les futures théories
L'AMÉRIQUE a un formidable trac avant l'Apocalypse
qui aura lieu évidemment en
AMÉRIQUE
commanditée par Exxon [1]
dans ses sacs Glad L'AMÉRIQUE
enfouit ses désirs
qui continuent de vivre
pour quelques dollars
from New York to Santa Monica [2]
évidemment la domination américaine
les hamburgers ont des dents
from L.A. to Las Vegas
un ruban d'asphalte sur la peau rose
du désert
peau volcanique

peau de lézard
Frank Sinatra [1] au Caesar's Palace [2] chante
New York New York
une bouteille de Jack Daniel's [3] à la main
et Liberace [4] plus folle que jamais sparkles
pianote
dans son penthouse new-yorkais qu'il vient de planter là
sur la scène du désert
mais le sida l'attend dans les coulisses
here it's big money
le Disneyland des over 21
les grappes de lumière dans ce nowhere
et Dolly Parton [5] dans sa Golden Cadillac aussi gorgeous qu'elle
débordante comme L'AMÉRIQUE
Las Vegas
pyramides fictions
qui rutilent
qui perd sa vie la gagne
baisser le bras et tirer la manivelle du hasard
et tout roule

des oranges alignées et c'est le déluge béni
du métal froid
dans les halls placardés des grands hôtels
dans leurs prisons métalliques
où le soleil sèchement reste au dehors
à mendier
concurrencé par des millions de copies artificielles
car le jour n'est jamais censé se coucher ici
car les rêves se tuent ici
dans les accidents de la chance
l'argent aurait-il du sang?
Las Vegas
où toutes les 6 minutes et 27 secondes
un couple se marie
in a white chapel of love
ou dans son drive-in
Las Vegas
chaque année quatre milliards de revenus
vingt millions de touristes
qui flirtent avec l'extase

habillés de jeans
ou de velours mauve
l'air délabré
ou maquillés et foulard de soie
leurs cris continuels
entre deux drinks
attendre
dans la vallée de la mort
aux dunes translucides
la manne miraculeuse
sing again Frankie
New York New York
sur le stage des stars platine
aux sourires plus larges que Jaws [1]
les diamants hurlent dans les miroirs des limousines
que conduisent de très beaux chauffeurs
look but don't touch
very very expensive
les fontaines orgueilleuses
dans ce pays de sable

où à chaque minute un jet arrive
dans les yeux du croupier
la mort
indifférente
pas d'argent et c'est instantanément l'enfer
technique Master Card Visa American Express
chaque lobby est une banque privée
que Washington surveille
le président Reagan a donné la permission à Sinatra d'ouvrir un casino
I did it my way
jouer coûte que coûte
la fièvre
à la Dostoïevski [1]
dehors font rage les mirages
de plastique
aux hémorragies éberluantes
près des cactus géants qui s'allument
des Elvis en loques à paillettes
Sinatra saoul mort déglutit
de New York New York à Blue Hawaï

Las Vegas
où la terre tremble plus souvent qu'ailleurs
où la terre montre fièrement ses entrailles
Las Vegas à la porte du désert
un sphinx hollywoodien
aux parallèles surprenants
aux mélanges barbares
qui saoulent la caméra des yeux
dans un chaos de lumières
les spasmes de leurs visions
mais le sait-on vraiment que L'AMÉRIQUE est un continent
à la dérive
dans l'imaginaire de la planète ?
prostrés à la porte de L'AMÉRIQUE
où les dandys savent comment souffrir
d'Andy Warhol [1] à Mickey Mouse
on n'hésite jamais en AMÉRIQUE
surtout quand il faut piétiner
les pieds des autres
but speak white [2]

L'AMÉRIQUE à l'image de sa carte
illimited
à défaut de sang bleu L'AMÉRIQUE s'invente des dynasties
de pétrole
le karma est une loi boomerang
dit la star américaine
alors les assistés sociaux
affectifs
spirituels
en 1563 le Concile de Constantinople [1] retire les théories
de réincarnation
que L'AMÉRIQUE s'empresse de réactiver
car L'AMÉRIQUE par réminiscence de L'AMÉRIQUE
est toujours capable de se travestir en AMÉRIQUE
puisque L'AMÉRIQUE n'est qu'un mot
dans West Side story [2]
son corps astral est un space-lab
où on expérimente
de nouvelles armes
de nouvelles tortures

car L'AMÉRIQUE rage
d'être mortelle
Marilyn l'a prouvé en cinémascope
au président Kennedy
qui l'a prouvé sur le petit écran
du monde entier
L'AMÉRIQUE son cinéma
jamais un peuple ne se sera tant regardé
tant vu
jouer
à l'amour à la guerre
living in AMERICA
in blue suede shoes
jouir
comme au football
le ballon un œuf
que les mâles veulent s'approprier
en se sautant dessus
comme quoi la prématernelle n'est jamais loin
mais la musique

du feu dans le sang flamboyant des stars rock
celles qui meurent au matin
emmitoufflées de satin
le soir
bardées de cuir
AMERICA food for a giant
le tiers monde comme entrée
le festin Goya
I don't want to be eaten alive
L'AMÉRIQUE ses villes se font dévorer
par le cimetière de ses banlieues
L'AMÉRIQUE un désert aux mirages fabuleux
un journal illustré d'avenirs
chaque jour est une date qu'il faudrait renier because
en AMÉRIQUE rien ne reste
sinon des concepts de la réalité
L'AMÉRIQUE ses capsules
Aspirine
Tylenol
Columbia[1]

regardez dans votre pharmacie
laquelle trouvez-vous ?
laquelle voulez-vous ?
laquelle prendrez-vous ?
en AMÉRIQUE toutes les raisons sont bonnes
pour y entrer
mais sur place
les châteaux
tombent
aux mains d'enfants incultes

AMERICA AMERICA AMERICA

et Elizabeth Taylor [1] se promène avec Michael Jackson
qui proclame
au magic kingdom [2]
sauver le monde c'est bien
mais sauver L'AMÉRIQUE c'est mieux
Hollywood Malibu
les palmiers debout près des autoroutes bondées

surchargées
Bel-Air Pasadena[1]
le chic jusque dans les nuages
San Francisco
prendre l'hélicoptère pour voir de plus près
au-dessus du Golden Gate[2]
ce coucher de soleil célèbre
ne l'est-il pas partout ?
mais aux U.S.A. it's the best in the world
disent les affiches
les Japonais accrochés à leurs appareils
les hôtels de luxe
le champagne partout
Le California Chandon[3]
ou au Chinese Theater[4] déposer ses mains
dans celles cimentées de Marilyn
Hollywood Boulevard où ça peut être dangereux
Adult Book Store
Movies Videos
Soft Porn

à l'entrée des mendiants affamés
ignorés par ces touristes Road Runner [1]
dans cette Californie décapotable
entre la mer et le désert
ce ciel pollué
nuages de coke
et New York à l'autre bout qui grogne
et chante et danse
go west young man [2]
avalanche de stars
partout leurs posters
accrochés dans les chambres des enfants
les studios jonchés de beaux cow-boys
is it a gun in your pocket or are you just happy to see me [3] ?
clame Mae West [4]
la rumeur de la mer
aux surfers superbes
majestés modernes
sur leur trône en fibre de verre
pendant que sur les plages nettoyées

rôdent des requins au sourire vif-argent
life guard of death
histoire de bouffer une star
ou à New York au Time Square
le leitmotiv
time is money
et la Californie de se maquiller
une dernière fois
pour jouer à la nouvelle Atlantide
Los Angeles
la ville des anges
à s'en rendre cardiaque
from L.A. to N.Y. road 66
un autre 6 et c'est la marque du diable
nous dit-elle
le cœur de L'AMÉRIQUE n'est qu'un hamburger
well done [1]
mais la quinzième lune d'Uranus appartiendra à qui ?
un autre bracelet déjà convoité par L'AMÉRIQUE
où chaque minute on additionne même si on soustrait

on multiplie   même si on divise
AMERICA is the land of Discovery

AMERICA   AMERICA   AMERICA

litanie   obsessionnelle
rock my soul
dans l'acier de L'AMÉRIQUE
aucune épithète
la mort s'est ici inventé une danse
and when you dance you die
while you're alive [1]
les rumeurs d'une télé   remember Telstar [2] ?
les fureurs des vidéos   faut-il censurer ?
déjà le digital
L'AMÉRIQUE est une histoire porno
to be rich you have to be a bitch
ask AMERICA
Adam et Ève ici avortent
se ligaturent

les divinités en éprouvette
mon Dieu vous qui n'existez pas
donnez-nous une image
et l'ordinateur se met en branle
comme quoi l'Apocalypse sera plus plate que prévu
ce sera une Apocalypse sans divinité
très post
dans le feu l'eau suinte
comme du sang
sur le linceul des tribus
dans les aventures américaines les milliardaires posent
dans des maisons futuristes
où on mange de l'ethnie sans appétit
pendant que sur le billet de banque on cherche Dieu
là la mort   vit
en pleine lumière
comme un lézard mauve
dans le désert de l'Arizona
un essaim de lucioles spirale
Las Vegas

L'AMÉRIQUE la seule chimère possible
les fantômes n'ont pas d'empreintes
les cow-boys sont des fantasmes
pour faire bander
les vieux pays
voyeurs
que la nuit américaine filme
et L'AMÉRIQUE de planter ses serres
de président en président
un nid de guêpes
la dynastie grossit
keep it in the family
keep it clean
keep it safe
aux poignets piégés d'Uranus on trouve
d'autres anneaux
comme aux poignets d'Hollywood
le Pentagone
ce qui brille distrait la conscience
ne pas prendre de chance

ici la liberté vous engage pour
espionner
contrôler
tuer
L'AMÉRIQUE
où communiquer c'est spéculer
où entreprendre c'est vendre
quand l'optimisme vise la conquête
L'AMÉRIQUE ses budgets
dépenses prévues en 1994
de 263,4 milliards
pour la défense
la guerre des étoiles
le bouclier
contre les autres cultures
stopper l'invasion
des barbares
L'AMÉRIQUE dit de l'Europe
que c'est un tiers monde élégant
L'AMÉRIQUE veut rendre le texte du ciel

prosaïque
à Silicone Valley[1] les ordinateurs n'ont pas droit à la poésie
L'AMÉRIQUE en tête-à-tête avec elle
la vie avec la mort
d'autres mots
d'autres morts
manifestation terrorisme racisme
alternative chute pression
renversement réduction révolution
cancer vieillesse crise
fiducie pétrole opposition
en AMÉRIQUE la réalité n'est pas encore entièrement
cataloguée
pendant qu'un ami parisien écrit
je ne vais pas bien mais je dois y aller
qu'un ami américain écrit
des poèmes sur le sida
L'AMÉRIQUE organise son invasion
de désirs frelatés
à coups de milliards L'AMÉRIQUE cherche

de nouvelles mises
pour de meilleurs revenus
l'avenir s'annonce incroyablement riche
et les virus sont plus prometteurs
que des puits dc pétrole
I'll sue you [1]
des vies parachutées que la mort regarde
tomber
recueille
dans des dollars stigmatisés
et dans les rues d'Hiroshima
le souvenir brûlant de L'AMÉRIQUE
pillow of flames
is it a recording of   in   God
we   trust [2] ?
l'invisible fait semblant d'avoir plus de valeur
mais tout le monde sait que L'AMÉRIQUE mcnt
encore plus à elle-même
aux États-Unis
20 millions de personnes connaissent la faim

au moins une fois par mois
un enfant sur cinq vit dans la pauvreté
et le nombre des sans-abri
des victimes
augmente rapidement
tant en zones urbaines
que rurales
twilight zone [1]
quand la capsule fonce dans la gorge trouée d'un ciel
pollué
condamné
quand la comparaison tombe dans l'Amazonie
dévastée
la technique d'un texte barbare
poussières d'anges sueurs des dieux bandes dessinées
le feu gris du cinéma
L'AMÉRIQUE hésite
indigestion de commanditaires
L'AMÉRIQUE sera à la fin de ce millénaire
ce que la peste aura été pour le

Moyen Âge
et en ce nouvel âge
des sortilèges sont retapés
plus éclatants
que des serpents
plus revampés
que Dracula
le soap opera[1] du malheur
riche
en sourire aluminium
la saga
Kennedy Jackie Oswald
Cuba Viêt-nam El Salvador
meurtres mariages témoins
émigrés bombes carnages
les nouveaux héros
les pionniers étiolés
les défricheurs de l'espace
là le temps est supendu
comme le souhaitait le poète

la mort y est peut-être absente
la mort pourrait ne plus être à la mode
how charming
se dit L'AMÉRIQUE
en faisant la vamp
en fonçant vers les étoiles
où d'année en année L'AMÉRIQUE magasine
it's a big shopping center up there
if you don't buy you'll die [1]
le syndrome de la consommation
mais en AMÉRIQUE tout est toujours en vente
de la robe du soir   au crime parfait
dans cette AMÉRIQUE archaïque
qu'est la nôtre
bientôt le temps s'avalera en pilules
un suicide est toujours moderne
die now live later
L'AMÉRIQUE n'en est pas à un paradoxe près
qui peut aider quelqu'un à vivre
en AMÉRIQUE ?

comme un enfant bercé
sur les genoux d'un oncle vicieux
L'AMÉRIQUE caresse
pour mieux torturer
ses images à décrypter
les mots s'agglutinent sur les lignes
comme les autos sur ses routes
leur pollution
on n'a pas encore vraiment vu L'AMÉRIQUE
pleurer
se choquer
jusqu'à maintenant L'AMÉRIQUE n'a fait que répéter
L'AMÉRIQUE
car L'AMÉRIQUE n'a jamais été
directement attaquée
bombardée
envahie
soumise
voir Eurodisney [1] et comprendre
le standing du hamburger

L'AMÉRIQUE son territoire placardé de signes
L'AMÉRIQUE ne donne jamais
ses recettes
find your own
en attendant le voisin risque de vous la voler
la mort de vous la prendre
find your own
death

AMERICA AMERICA AMERICA

mais comment acheter la mort ?
se demande L'AMÉRIQUE
acheter c'est tuer dit L'AMÉRIQUE
en ricanant
come on down [1]
crie l'animateur
entouré de Barbies [2]
les bras pleins de
frigos poêles sofas

laveuses sécheuses lave-vaisselle
voitures bateaux voyages
la bouche chargée de dents
comme un revolver
dans des scénarios où tout le monde gagne
perd
what's up doc [1] ?
mais les mots se referment
comme une huître sur la lune
car les mots qui comptent le plus
s'affichent
en chiffres sur des chèques
Dieu m'a donné l'argent
avoue Rockefeller
sur des prie-Dieu en or massif
alors nouvelles prières à Thanatos
sur des écrans en couleurs
les sourires-limousines des princes charmants
payés avec le sang des pays innocents
les os radioactifs

pour se désennuyer la mort
joue
so exquisite
mais c'est dans les yeux
des films muets
épeurants
L'AMÉRIQUE
son balbutiement cosmique
les barbares de l'espace
la planète
qu'un centre commercial à piller
the biggest Mall of all
and it belongs to
AMERICA
don't you dare forget it
pendant ce temps-là sous les pluies acides
les Amish[1] essaient d'enterrer
leurs illusions
mais les milliers de sans-logis à Miami
but it's so nice there

les journaux locaux qui se moquent
des Québécois en vacances
they're back titrent-ils
du BS aux retraités
aux chanteurs de charme
en jouant des copies cheap
de millionnaires
mais la Floride
Ah Florida
mot magique pour l'imaginaire québécois
les yeux s'allument comme des plages blanches
côte Ouest
des plages dorées
côte Est
et c'est le délire
les palmiers tanguent dans les sourires
des élus en route
en route pour Florida
from coast to coast
alligator alley

ces marais impressionnants où on craint d'être surpris
par des dinosaures
la Floride et ses rêves
de richissimes
qui s'infiltrent entre les palmiers
éternels
plantés dans le vent
la mer chaude
le Gulf Stream coule dans ses veines
et là aussi surfent de jeunes divinités blondes
là la vieillesse rôde autour
des piscines chauffées
cherche le repos
checke le thermomètre
frissonne à moins 70 degrés Fahrenheit parce que
parce que la vie peu à peu les abandonne
et tels des coquillages striés de lignes
de nervures
pathétiques et uniques
ils attendent la mort

qu'ils craignent tant
qui ne devrait pas tarder
à les ramasser
et derrière les perruques
les cataractes
les lunettes
les dentiers
ils chantent avec Peggy Lee[1]
I'm ready to begin again
la Floride
où les vagues se fracassent sur des plages
hantées
par des life-guards blasés
par des condominiums aux airs de sentinelles blanches
Miami is so dangerous
full of Cubans you know
full of Haitians you know
full of Blacks you know
ah la Floride et cet air du last chance
du Exit flavor

kick the bucket in Florida [1]
dit-elle en s'amusant
sa lumière humide
chargée
de décors pastels
dans les autos climatisées
Cadillacs if possible
ces reflets mascara
jusque dans les lunettes de soleil
des huiles de vison pour des mères exilées
dans des Florides fluorescentes
et dans les sommeils des vagues de froid
de neige
des glaçons comme des flammes figées
où des fantômes apparaissent
la Floride
où suintent plus d'un remords
dans des limousines blindées
sur le belvévère de West Palm Beach
qui s'agitent

tels des drapeaux fastueux
en l'honneur de la richesse
la maison de madame Post[1] se vend 28 millions
le président Nixon aurait aimé l'acheter
pour en faire sa maison blanche d'hiver
good idea trouvait-on sur les terrains de golf
dans les Malls
good for business
et du golfe du Mexique à l'Atlantique
la Floride fonce
comme la vieillesse dans l'éternité
et ces hôtels de luxe étincelants
comme des dents de requins enlisés
sur des plages pleines de happy hours
et de souvenirs
qu'une vie à vivre
chante le palmier
près de l'aéroport
mais on dit que la côte Ouest est plus belle
si possible

que la côte Est
ses plages de cocaïne
et de Daiquiri
plus douces plus sereines
et tous ces corps allongés sur le sable chaud
en offrande au soleil
ces caïmans de cuivre
leurs amours Everglades
où quand on ose lever les paupières
montrer la nudité des yeux
le désir fonce
comme ces fusées du cap Canaveral
et la mer roule ses hanches
felliniennes
et Shamu à Sea World[1]
such a nice killer whale
sourit de toutes ses dents immenses
et sort une langue d'un rose titanesque
et Disneyland où Mickey Mouse se veut le porte-bonheur
d'une Floride

remplie de reptiles
de refrains genre
oh what a beautiful day
le sable troublant de L'AMÉRIQUE
pleine encore de rêves Big Mac
and let the warm wind sniff me [1]
écrivent les avions
dans le ciel céruléen
et momifiés dans des crèmes de bronzage
ça écume du plaisir sadique
de voir arriver un visage pâle
encore tout grelottant
de son moins 20 Celcius
big joke autour de la piscine chlorée
ou est-ce au Green Garden [2] de Sarassota ?
un amas d'immenses plantes tropicales
où accoudé à un Steinway [3] noir
un restant de guimauve chantonne
is that all there is
à l'autre versant du continent le peintre David Hockney [4] dit

you have to follow the sun all year round[1]
ah la Floride
d'une exubérante
d'une indécente
richesse
de piscine en piscine
de limousine en limousine
de condo en condo
la mer omniprésente
telle une diva puissante
féroce
ses bras chargés de fruits
sur les menus the catch of the day[2]
red snappers
groupers
pompanos
oysters
shrimps
scallops
clams

so good
le vent huileux
dans des chevelures argentées
et tout au bout the keys[1]
comme des points de suspension
dans l'éternité de la mer où continue
L'AMÉRIQUE
et à Key West
célèbre lui aussi pour son coucher de soleil
the best on the east coast
L'AMÉRIQUE a ses refrains
everywhere
the most
the must
un touriste voit la villa d'Ernest Hemingway
l'autre la balle dans la tête
tout près Cuba et sa décadence
des taureaux pour des corridas démodées
mais là près de la piscine salée
the first one in AMERICA of course

des livres
des millions
et des chats
et des mots hantés
de sanglots
pink champagne
l'écriture devenue inutile
se signe
à même le sang
mais la Floride
encore
et ces autoroutes partout
comme des bracelets de béton
pour la mer
et ces maisons si blanches
comme des stèles funéraires
comme celles de l'Arizona
c'est que la mort ici est une affaire pressante
chaque corps un appel à la bombe
qui va bientôt sauter

de l'autre bord du miroir
où enragent plus d'un Faust[1] américain
mais sur celui-ci
des marinas débordantes
de voiliers
de big yachts
où des dandys ironiques et bronzés
s'installent
telles des orchidées outrageuses
L'AMÉRIQUE
ses airs de stars
parfois cheap
parfois snob
son maquillage de milliardaire
sa peau d'esclave
ses rituels climatisés
à Lantana[2]
le plus gros sapin de Noël au monde
à West Palm Beach
la rue la plus riche au monde

the sunshine state
la Floride a pris la fleur de l'oranger comme emblème
la Californie la fleur du paradis
et dans les Everglades des fermes d'alligators
au sourire tellement punk
puis les coquillages sur la plage
des chaises longues
où la mer se plaint
où le soleil fait tourner la tête
et sur les dents de la mer on peut voir
des anges cow-boys brasiller
Cuba n'est pas loin
Big Brother[1] is watching
ce climat nucléaire
la Floride cet opéra tropical
la menace de ses ouragans
chaque ciel est scruté
soupçonné d'attaques
et si la mer se mettait tout à coup debout
comme la dernière fois

et le ciel à bouillonner
one more drink just in case
la main tremble
mais il fait si beau dehors
à 70 degrés Fahrenheit on chauffe
à 75 on climatise
la Floride
comme une meringue
dans le golfe du Mexique
comme l'Italie
bien installée dans la mer
d'où ses noms de villes
Naples Venice [1]
et Miami et sa mafia
la Floride
comme un flamand d'or
sur un seul pied
qui fouille
et ramène
des oranges

des pamplemousses
des citrons
des mangues
des avocats
des bijoux de soleil
qu'elle expédie au Nord
d'où se sauvent des hordes d'alouettes frileuses
pour venir se réchauffer à son corps brûlant
pour oublier dans la vague tiède de Fort Lauderdale [1]
les dunes de neige
ah L'AMÉRIQUE
nouveau paysage mythique
où les rêves s'agglutinent
aux ailes des avions
comme des mots sur la page d'un conte de fées
mais L'AMÉRIQUE
ses époques
le Watergate [2]
le macarthisme [3]
les lois anti-prohibition [4]

le Cotton Club[1]
le FBI ou la CIA
mais ce pays n'est encore qu'un bébé
qu'un enfant superman
qui se fait les dents
L'AMÉRIQUE disparaîtra dans un bain de feu et de sang
no one will survive
disent les prophéties
Grand Canyon
le fossé le plus profond du globe
que vous pouvez visiter en avion-taxi
que les Japonais photographient
là gisent des empreintes
de deux cents millions d'années
des fossiles
de cinq cents millions d'années
et tout au fond des traces
de deux milliards d'années
L'AMÉRIQUE une transplantation réussie
un lifting secret

une abdominoplastie nécessaire
les dinosaures se sont remaquillés
ils reviennent se venger
au nom de la Liberté
L'AMÉRIQUE
le plus vieux pays du monde
le commencement de la fin
dans son silex des résidus
d'histoires d'amour
de plantes primitives
mais comment L'AMÉRIQUE traite-t-elle
ses autochtones ?
ses réserves
ses camps de concentration
L'AMÉRIQUE
ses ghettos noirs
où en 1981 il y a eu autant de Noirs assassinés
que d'Américains au Viêt-nam en douze ans
et ces chiffres ont triplé
entre 1985 et 1990

AMERICA AMERICA AMERICA

where the price is right
où on peut changer de sexe
comme on change d'idée
ici Henri III [1] aurait été content
bientôt on lira nos poèmes
à la lueur des yeux
des troglodytes
on imaginera nos amours jet-set
nos corps Cadillac
nos regards technicolor
peints la nuit au laser
et on dira que nos cerveaux étaient luisants
eux aussi
sillonnés de crevasses
qu'en touristes les futurs Américains
viendront explorer
on a déjà commencé

à vénérer les momies hollywoodiennes
pourtant
il y a eu des matins lumineux
comme des pages blanches
dans nos mains
pour retenir la clarté
qu'adoraient les pharaons
L'AMÉRIQUE où circulent
des centaines de millions d'armes à feu
où en 1985 des milliers d'Américains meurent
en état de légitime défense
L'AMÉRIQUE ses gestes concrets
lorsque l'enfant paraît [1]
il est armé
L'AMÉRIQUE
où en 1990 plus de 4 000 adolescents
de 15 à 19 ans
ont été tirés
tués
L'AMÉRIQUE

ses solutions paresseuses
ses solutions militaires
pour ne plus entendre crier
de faim
tous ces êtres qui se targuent d'être Américains
et si Nobel a inventé la poudre à canon
L'AMÉRIQUE se donne le droit
tous les droits
d'inventer ce qu'elle veut
mais en AMÉRIQUE vit la cité de Mica[1] l'O.N.U.
que L'AMÉRIQUE consulte
par politesse
avant de bombarder
ah la Moïra[2]
mais où l'amour se cache-t-il ?
au camp David[3] ?
à Reno[4] ?
à Paris Texas[5] ?
à Kalamazoo ?
play it again Sam[6]

L'AMÉRIQUE a inventé le mot Pop
dans une quincaillerie hollywoodienne 1956[1]
onomatopée finale de la planète bleue
ou le be-bop
let's dance again
L'AMÉRIQUE
brillant documentaire
des misères des splendeurs
pléthore de maladies localisées
tout le monde finit un jour ou l'autre
par adorer
une divinité américaine
aux lèvres somptuaires
moulées sur l'ennui
la maladie la plus répandue
en AMÉRIQUE
le syndrome de Lichtenstein[2]
remâché comme du bubble gum
bible nouvelle
redite avec éclat par les bouches jeunes

de ses Lolita[1]
L'AMÉRIQUE aveugle
nouvel Œdipe[2]
Las Vegas n'a jamais accepté l'idée de la culture
la ville qui joue qui n'a rien à perdre
avec l'éphémère
là où l'art s'évapore dans un désert scintillant
L'AMÉRIQUE son gigantisme
son ironie
sa pudeur
d'un appétit à la démesure
de son inconscient
et l'artiste y est toléré
pour y être dénoncé
en retard sur le pouvoir scientifique
franchissez une douane américaine en vous déclarant
poète
King Kong[3] rit à s'en électrocuter
à Philadelphie le centre de l'histoire vivante
transforme

les cerveaux en céréales
L'AMÉRIQUE
là où on peut mourir en s'esclaffant
le fun est le top du top
L'AMÉRIQUE
son réel n'est qu'une transition
de L'AMÉRIQUE
it's not all folks[1]
L'AMÉRIQUE
ne se compare plus
on se compare à elle
L'AMÉRIQUE
une civilisation
à l'apogée de ses chimères
une Babylone[2] sur vidéo
mais les rêves s'autogénèrent
même si les corps qui les produisent s'éclipsent
L'AMÉRIQUE
ses cerveaux kamikazes
dans la tête de

la statue de la Liberté
the bride is back[1]
mais c'est une veuve
dans L'AMÉRIQUE macho
de son ciel terroriste
il pleut des jets en flammes
en sang
mais même déchiquetée L'AMÉRIQUE se refait
instantanément
comme dans ses films
L'AMÉRIQUE
bacille de richesse
L'AMÉRIQUE a des yeux d'enfant unique
qui jalouse
prend
sans demander
ce que les autres ont
les exigences américaines stipulent
un lavage de cerveau
L'AMÉRIQUE

où il faut toujours
quelque chose de nouveau
là les artistes osent créer des merveilles
de névrose
en AMÉRIQUE les médias peuvent dire ce qu'ils veulent
pourvu que la cote d'écoute grimpe
le message subliminal de l'univers s'inscrit in

AMERICA AMERICA AMERICA

là Nostradamus a vu la trajectoire de l'Apocalypse
du sable à la ville neuve au sable
le karma du temps pulvérisé
le cadavre avarié des ambitions déçues
la télé en déborde
mais
L'AMÉRIQUE est nostalgique
Elvis en effigie sur un timbre
mais
on l'a choisi jeune

on a refusé la dernière image
celle où le temps cisèle dans sa peau
la vieillesse
en AMÉRIQUE l'éternelle jeunesse
it's an absolute must
les milliardaires pourrissent
dans leurs fantasmes
facing a naked eternity[1]
ils se font enterrer avec leur char
just in case
car L'AMÉRIQUE
pourra peut-être exporter ses autoroutes
jusque dans l'au-delà
in the unknown
for now
L'AMÉRIQUE accepte facilement de momifier
la machine
L'AMÉRIQUE
cette star oxygénée
polluante

qui dit à la jeunesse enrôlez-vous
sur un air forcément
très rock
dans une marine
where the boys are [1]
chantait Connie Francis
avant d'être violée dans un motel miteux
comme seule L'AMÉRIQUE sait en faire
ou comment mourir
toujours en dehors du pays
pour un inédit de gloriole
pour enrichir
L'AMÉRIQUE
où un pourcentage élevé de mâles
sont des éjaculateurs précoces
live fast fast fast fast fast fast faster
L'AMÉRIQUE a fait de son cul
bouchée double des symboles
en utilisant la statue de la Liberté
American Express

a augmenté sa clientèle de 30 %
do you believe now?
workfare[1]
I can do it
I can work
une attitude pour escalader
sans vertige
le dollar
L'AMÉRIQUE
ses buildings Dark Vador[2]
ses esprits Jedi[3]
et le président à la télé dit
the force be with you[4]
mais puisque le Dow Jones[5] peut toujours
enregistrer des records
des excès
au cœur du mont Cheyenne[6]
remember them
dans les films dans les annonces
l'idée du point sensible

de toute perception d'objets volants
Norad[1] veille
L'AMÉRIQUE
une ogresse brutale
le commerce de sa progéniture
les enlèvements
un million et demi d'enfants disparaissent
chaque année aux U.S.A.
dont 50 000 ne sont jamais retrouvés
L'AMÉRIQUE
525 millions $ de profit net par an
pour Johnson and Johnson
L'AMÉRIQUE
aspirine
L'AMÉRIQUE a mal à la tête
L'AMÉRIQUE
Memphis[2]
ci-gît le pharaon du rock
exposition permanente de ses sous-vêtements
il a fallu les enlever d'une exposition itinérante

ils suscitaient trop la fureur de ses fans
filles et gars
L'AMÉRIQUE New York
Day Top Village [1]
le plus grand centre de désintoxication au monde
l'épidémie du crack
ou extasy
last exit to
L'AMÉRIQUE
qui a toujours cherché
le côté matériel de l'extase
malgré les pensées confuses
les convulsions
à chacun des 32 points d'entrée d'école de New York
un centre de lutte anti-drogue
car n'est-ce pas
c'est bien connu
L'AMÉRIQUE se drogue
question d'enlever sa peur
du sexe

de la super-jouissance
où L'AMÉRIQUE risque
d'oublier
son manque flagrant de tendresse
L'AMÉRIQUE
is cracking up
a wild joke
Marilyn réplique à Bette Davis [1]
I don't want any trouble
I just want a drink
que Suzan Hayward [2] avait ainsi défini
there's something strong and creative about a drink
puisque là on a connu la prohibition
question de principe
question d'argent
que Kupselos [3] en Grèce avait inventé
L'AMÉRIQUE fit le reste
ses sanctuaires prodigieux partout dans le monde
en l'honneur des nouveaux veaux d'or
mais en AMÉRIQUE

la drogue
cinq cent mille héroïnomanes
vingt-cinq millions de cocaïnomanes
soixante milliards par année consacrés
pour contre
la drogue
en ces temps-là une certaine Nancy[1] suppliait
L'AMÉRIQUE
just say no
une certaine Barbara[2] répliquait
just say no
que l'écho d'une autre
singeait
et les maris en chœur
de rajouter
drug free AMERICA
because in AMERICA people solve
problems
of people who have problems
think for a moment how special it is to be

an AMERICAN
the tasty air of freedom
le parfum palpable de
L'AMÉRIQUE
ses croisades modernes
pour exorciser
le mal
pendant qu'un crooner s'envoie en l'air en chantant
dans une des chambres closes
de la Maison-Blanche
the lady is a tramp [1]
d'un décor à l'autre
du penthouse au ranch
such a civilization
L'AMÉRIQUE biggest hit
depuis le paradis terrestre
là les vies sont des noggets [2] trempés
dans le luxe
L'AMÉRIQUE
the lady with the torch [3]

posters slogans
ici la télé change
les langages
on parle comme on voit
et l'Américain ne passera-t-il pas quatre ans de sa vie
devant le petit écran ?
où un an de sa vie sera zappé
par les messages publicitaires
L'AMÉRIQUE en crise perpétuelle
son mysticisme à rebours
s'il y a des gens pauvres c'est
qu'ils sont mal informés
a dit le président Ronald Reagan
a joué au saxophone le président Bill Clinton
L'AMÉRIQUE
chacune de ses anecdotes
est un cataclysme
son système d'autodéfense à grands coups
de milliards
but Aid is watching[1]

New York
là la fin du monde est déjà commencée
and it is not a japanese movie
not yet
le cristal en vente sur ses trottoirs
reliques superflues
de temps anciens
ou est-ce de la faille de San Andreas[1] ?
dans les yeux américains
des implosions
des Nasas pétrifiées
dans les cœurs américains
des déchéances
des mises à feu
dans les peaux américaines
des expériences uniques
à faire muter l'âme
à faire reculer chaque jour
les frontières
de la fiction

de la raison
là certains Noirs rêvent
à la Michael Jackson
d'une peau blanchie
en visite en Afrique la mégastar américaine
se bouche le nez
en attendant de méditer
dans son zoo parfumé
et de choisir un enfant blanc
qui le représentera
dans une biographie filmée
ou comment noyer Narcisse
dans un océan de maquillage
L'AMÉRIQUE
où l'univers joue dur
L'AMÉRIQUE
son disque compact
tourne sans relâche
dans les pensées
différentes versions

différents beats
de L'AMÉRIQUE
aberrante
le département de l'agriculture a dépensé 57 000 $
pour savoir
qu'il faut en moyenne 0,79 minute
pour
sortir un œuf du réfrigérateur
quand L'AMÉRIQUE a du fun
et les centaines de milliers d'héroïnomanes se shootent
à l'absurde
et les trois millions de miséreux de Los Angeles
ont
des sourires sans dents
en attendant de prendre d'assaut
les Annapurnas [1] du rêve
où des gourous ronflent plus fort que le Pacifique
L'AMÉRIQUE Chicago
fun is a mid-west nada
nada who is in nada [2]

la genèse de la rébellion
à la Al Capone [1]
ça c'est du sport dit bruyamment
L'AMÉRIQUE
pendant que les mots finissent tragiquement
sous le soleil des Keys
Cuba Jaws
Hemingway
qui a mangé qui ?
le vieil homme ou la mer ?
la pêche aussi excitante que la guerre
des étoiles
morts phosphorescentes
L'AMÉRIQUE
la routine de Moby Dick [2]
de prix Nobel en prix Nobel
la guerre s'intensifie
la liste bouleversante
des désappointés
de leur suicide

et l'amour continue de se faire
les crocs
sur des statistiques
nulles
mais si L'AMÉRIQUE
comme Elvis
avait un jumeau cosmique ?
it's all right mamma [1] the Colonel does his thing
his way
colonel Sanders [2] colonel Tom Parker [3]
the army is still winning
L'AMÉRIQUE se secoue
comme un chien mouillé
hound dog [4]
greyhound [5]
Graceland [6]

le baiser de la gloire
la caresse de la solitude braquée
sur la tempe
ou une pluie de pilules

comme une pluie d'étoiles
en clichés mortels
innombrables
de L'AMÉRIQUE
the body snatchers of the brains[1]
du sang pour nourrir son juke-box
et la nuit continue
de s'habiller de strass
comme ses villes dans la peur
fun is the wing of death
AMERICA is the only child of AMERICA
et personne n'est assez riche pour
l'adopter
it is as crazy as it seems
mais où est la réalité
de L'AMÉRIQUE ?
attaquée par ses légendes
comme une Greta Garbo repliée
dans son gratte-ciel new-yorkais
qui regarde la mort scintiller sur

Broadway
skin fever
au Main Shaft de Greenwich [1]
ou encore Las Vegas
là les lézards acclament la folie
d’un ermite milliardaire hanté
par les morsures
des bactéries
des virus
Howard Hugues [2]
le fauve blanc qui a craint
à en mourir
les microbes
et qui vivra complètement nu
et paranoïaque
dans son penthouse de Las Vegas
prisonnier de son luxueux goulag
il savait que dans les pores de la peau
il y a des interstices où petit à petit le temps
fait éclater

l'âme
comme les couleurs
les canyons
L'AMÉRIQUE une tournée réussie
you're always on my mind
Priscilla demande à Elvis
le divorce
enlever le cuir de la peau
le cœur à vif
perd la passion saigne
au vu et au su du monde entier
ou était-ce Woody et Mia [1] ?
L'AMÉRIQUE comme un sexe
sur le point de jouir
sex
de faire semblant
faire parler l'amour de façon
explicite
cruelle
nouvelle

en ignorant le Kâma sûtra
imprimé en vignettes dans les pierres
des temples hindous
L'AMÉRIQUE dit au reste du monde
ne m'achalez pas
avec vos vieux problèmes
freeway of love in a pink Cadillac [1]
puisqu'il y a 43 300 milles de route
at your choice
on peut rouler de Boston à L.A. sans rencontrer
de feux de circulation
et des porte-avions
aux portes tournantes des miracles
qu'un battement de cil
quand la Floride compte ses 65 météorites
à l'heure
les créatures américaines vivent une épopée
apprivoisée
où les pauvres n'ont pas le droit de dormir sous les ponts
et les riches ?

L'AMÉRIQUE veut
une bouclier nucléaire ultime
avec assurance
de s'autodétruire
la démocratie craint le futur
comme les enfants
la pollution
L'AMÉRIQUE
megapower megafear
la philosophie de la défense
la morale du système
comment être le guérisseur de L'AMÉRIQUE ?
when the saints go marching in [1]
L'AMÉRIQUE a gagné plus de 140 prix Nobel en sciences
depuis la création du prix en 1901
les pyramides étaient-elles seulement passives ?
s'interroge L'AMÉRIQUE
dans des radars
aux noms de Vikings
Krasnowark's [2]

les nudistes nucléaires
pour fossiliser la beauté dangereuse
de l'humain
mais L'AMÉRIQUE est-elle à l'échelle humaine ?
les autres super-puissances
des remakes
des fakes
et si elles s'évertuent à jouer à L'AMÉRIQUE
tant pis pour elles
I want you [1]
crie Uncle Sam
en brandissant l'index
L'AMÉRIQUE hystérique
les rayons laser les scanners
les beam weapons [2] les smart bullets [3]
mégalomane
L'AMÉRIQUE fait des trappes dans l'espace
pour saisir les trous noirs
où dorment des anges insouciants
L'AMÉRIQUE

poème high tech
L'AMÉRIQUE
les architectes de la défense rêvent
d'installer d'immenses miroirs flottants
les missiles réverbères
pour faire périr par le feu
les futurs Narcisses
qui oseront épier
copier
son image
et si les miroirs faisaient vieillir
grimace Blanche-Neige de l'autre côté
de la glace
où s'ennuie Alice[1]
alors l'héroïne exige
une deuxième chance
a second debut
mais les miroirs recueillent
les vapeurs du désert
les images évaporées de la mer

en AMÉRIQUE la SDI Strategic Defense Initiative
dépense annuellement 4,8 milliards
les bons gagneront la Force est en eux
l'Arche de l'Alliance [1]
qui tue
celui ou celle qui ose la regarder
comme L'AMÉRIQUE où
les nouveaux fusils font du 6 000 milles à l'heure
les nouveaux cow-boys
aux jeans délavés
juteux de désir
qui font rêver la planète
même morts
étendus
les jambes bien écartées
les mains bien arquées autour du sexe
qui pointe le firmament
ainsi James Dean [2] sert à vendre des jeans
à Tokyo
mais L'AMÉRIQUE aimerait mieux fantasmer

dormir la nuit
Dallas son université
où on consacre 100 millions $ par an
en recherches pour la défense
pendant que d'autres font des doctorats
en sociologie
L'AMÉRIQUE l'éclat du mot
sandwich de fiction
de réel
que la mort dévore
dans les silos du désert
où on a engrangé tant d'effigies voluptueuses
alors qui osera tromper
affronter
L'AMÉRIQUE ?
ses armes cosmétiques qui séduisent
là il y a plus de 750 000 techniciens officiellement reconnus
des ongles d'orteil
à la racine plus ou moins vivace du cheveu
et si la mort avait de l'humour ?

autour des buildings flottants de l'espace
ses devises armées de paix
L'AMÉRIQUE
ses conclusions imposent
un nouveau théorème
septembre 1986 649e essai nucléaire au Nevada
votre peau est-elle assez sèche ?
votre arthrite silencieuse ?
nuclear life
ses détaillants
ses paroisses cosmiques
où des technocrates chantent des requiem
en l'honneur de L'AMÉRIQUE
ses monuments
squelettes des autres civilisations
ses cauchemars
trouent le ciel
du Potomac [1]
L'AMÉRIQUE
où toutes les secondes un Américain meurt du cancer

L'AMÉRIQUE plus on vieillit
plus L'AMÉRIQUE rajeunit
L'AMÉRIQUE un film fantastique
où c'est le spectateur qui perd
L'AMÉRIQUE oublie si facilement la géographie des autres
j'appelle tante Dora de Genève qui demande
where in the hell is that?
j'appelle tante Dora d'Amsterdam
where in the hell is that?
j'appelle tante Dora de Buenos Aires
where in the hell is that?
j'appelle tante Dora de Venise qui répond
ah you're in Florida!
L'AMÉRIQUE a tout absorbé
nous faisons partie de son estomac
L'AMÉRIQUE fait les manchettes
tout le temps
L'AMÉRIQUE vit sa fiction
from day to day
L'AMÉRIQUE naïve se demande sincèrement

why don’t they like us ?
AMERICA the beautiful
for love and money
L’AMÉRIQUE agite
les mains
les bagues
et d’autres pierres précieuses
rutilants remparts
contre l’ennui
et L’AMÉRIQUE brandit ses cartes de crédit
pendant que ses jambes bougent
dansent constamment
et ses enseignes lumineuses répondent
au reste du monde
NO VACANCY
L’AMÉRIQUE shine ses étoiles
comme le shériff la sienne
en crachant dessus
en chantant
we’re in heaven [1]

purple dust[1] of twilight time[2]
c'est que L'AMÉRIQUE redoute les soirs creux
matrices à malheurs
L'AMÉRIQUE checke toujours
L'AMÉRIQUE
L'AMÉRIQUE quatre mille milliards de déficit
endettement personnel
industriel
social
pourtant chaque année des centaines de milliards
pour la défense de L'AMÉRIQUE
dont 8 milliards pour l'énergie nucléaire
L'AMÉRIQUE fabrique ainsi chaque jour 5 nouvelles têtes nucléaires
mais des dizaines de millions d'Américains ne mangent pas à leur faim
en l'an de grâce 1993
alors où est passé le rendement
des travailleurs
for God's sake?
et ce système de food stamps
pour avoir de quoi manger

qui vous permet d'entrer dans le Disneyland
de la honte
et ils sont 29 millions d'Américains
ainsi estampillés
en 1993
à ramper
sous le seuil de la pauvreté
tickets en main
comme pour aller au cinéma
et au Prince Georges de New York[1]
l'hôtel des pauvres
liste d'attente 200 000 noms
défense là aux caméras de tourner
cauchemar in Dreamland
New York New York
où il y a plus de personnes mordues par des humains
que par des rats
quand New York New York chante
et vous rend humble
là où un millionnaire du nom de M. LaCorte

a établi un fonds de 100 000 $
pour pouvoir ainsi donner 1 000 $
à chaque écolière qui pourra prouver
qu'elle est encore vierge
à 19 ans
just like a virgin chante la Madone américaine
aux seins effilés
et quatre millions d'Américains qui vivent
en prison
la contemplent
New York New York
où le New York Stock Exchange
jongle toujours avec les milliards
New York New York
où Andy Warhol hante le bar El Internacional
aux néons so peacoks
aux margaritas soft blues
le film se fait
l'air est mercure
les corps plus stars que jamais

les drinks d'un bleu piscine
les looks joyeux translucides
les poissons tropicaux ont envahi
New York New York
les dandys so colorful
les chums so love birds
les rêves
ici respirent
librement
New York New York
ses buildings
des fontaines pastel dans la nuit
New York New York
the city that doesn't sleep
la ville n'aura jamais été si multiple
Manhattan
l'île la plus riche du monde
les superlatifs continus de
L'AMÉRIQUE
où sept millions de boulimiques vivent

dans la culpabilité
là où 40 % des enfants sont trop gros
où 40 % des chiens font de l'embonpoint
qui engraisse qui ?
là où 700 000 enfants ne mangent pas à leur faim
là où 500 000 parents sont des morphinomanes
là où 40 000 filles de moins de quinze ans sont enceintes
chaque année
mais en AMÉRIQUE
deux millions d'enfants sont l'objet
de persécutions
physiques
mentales
sexuelles
ou tout simplement de négligence
mais leur silence
un trou noir une déchirure
dans le ciel américain
mais The Little House on the Prairie [1]
est visionnée dans 110 pays

il faudrait que vous veniez en France
en ce moment le ciel de Paris a
exactement la couleur de vos yeux
dit la star française à Marilyn
dans Le Milliardaire[1]
quand l'AMÉRIQUE s'amuse à jouer avec les accents du monde
le sex-appeal de l'accent français
concassé
sur celui de la star américaine
qu'on trouvera morte le 5 août 1962
enveloppée dans une vilaine couverture
la main crispée sur le téléphone
qui du plus riche est le plus pauvre ?
la règle d'or du cinéma américain
qu'un scénario puisse être compris par un enfant
mais puisque la télé américaine a changé
le monde
puisque l'AMÉRIQUE a colonisé notre subconscient
comme dit Wim Wenders[2]
welcome au Peanut Butter lovers club

le mets favori d'Elvis Presley
qui a été bon pour l'AMÉRIQUE
il ne voulait pas montrer qu'il était un enfant
comme Marilyn
qui ne voulait pas que l'AMÉRIQUE ait une ride
puisque L'AMÉRIQUE n'a pas besoin
ne veut pas
vieillir
le mot le plus haï
le plus craint
pourtant chaque jour une trentaine d'enfants se suicident
L'AMÉRIQUE ah L'AMÉRIQUE
là on a déjà tenu un congrès sur l'ennui
quand le spleen sort tout son chic
pourtant
35 millions de personnes ne peuvent pas
s'acheter une assurance
maladie
au pays de l'oncle Sam la santé est le seul cadeau qu'on reçoit
qu'on perdra

au pays de l'oncle Sam
chaque jour
quatre à cinq mille personnes succombent
à la drogue
ce ne sont pas seulement les vieux
qui regardent maintenant leurs rêves
tomber
comme des étoiles
du ciel américain
L'AMÉRIQUE
c'est l'habitude ici de se donner
fort bonne conscience avec des mensonges
ça s'appelle the american dream
écrit un poète belge
William Cliff[1]
les chiffres américains gonflés
mélodramatiques
l'arithmétique du cœur
et son soap
qui varie

selon le vol de l'aigle
à quoi bon le retenir
les chiffres changent ils restent
comme la noblesse américaine
Count Basie [1]
Duke Ellington
the King [2]
the Queen of Soul [3]
L'AMÉRIQUE
from soap to opera
L'AMÉRIQUE a inventé le père Noël
en mettant des culottes à saint Nicolas
lors d'une publicité
de Coke
Coke qui fait des ventes à l'étranger de 3 milliards par année
Coke vendu dans plus de 147 pays
Coke
quand on a franchi des pays où il n'y a pas de Coke
c'est qu'on n'a pas franchi les frontières de la civilisation
mais Pepsi

implanté dans 145 pays
la belle guerre pétillante
la guerre des bulles opaques
mais Pepsi vise le cristal
Pepsi qui fait la première publicité chantée
et en 1987   129 332 431 bouteilles doivent être vendues
pour payer la campagne publicitaire
avec Michael Jackson
et durant la Deuxième Guerre mondiale cette lettre touchante
d'un soldat
à part toi ma chérie
ce qui me manque le plus c'est un Coke
Coke et Pepsi
le superflu
l'indispensable
the Pepsi generation
des témoignages de candidats au suicide ont dit
que la publicité de Pepsi leur a redonné le goût
de vivre
Coke et Pepsi

leur formule secrète
comme une religion avec son mythe
comme il y a eu des présidents
Coke John Kennedy
Pepsi Richard Nixon
et dans les mains de Khrouchtchev un Pepsi
et voilà un symbole de la consommation rendu
à Moscou
et le seul effet tangible de la détente Est Ouest
Pepsi
et deux jours avant le gouvernement américain
Coke
se réconcilie avec le gouvernement de la Chine
ce qui faisait dire à Jimmy Carter que L'AMÉRIQUE
avait un deuxième département d'État
Coke
qui partira du Viêt-nam
avant les U.S.A.
il y a souvent du Coke là
où il n'y a pas d'eau potable

Coke et Pepsi
leur consommation pourrait dépasser celle de l'eau
Coke et Pepsi
dans chaque main en AMÉRIQUE
et l'homme de la rue ou le président
tiennent la même chose
and that's not all folks
Bugs Bunny peut manger à sa guise ses carottes
Madonna copier le déhanchement de Betty Boop [1]
dans les pays en voie de développement
le Coke sert de
contraceptif
58 % des spermatozoïdes sont éliminés
après une minute d'immersion
dans le nouveau Coke
91% dans le Coke Classique
100 % dans le Coke diète
la course à la mort
dans la boisson
centenaire la plus vendue

au monde
les coûts de la fête à Atlanta[1] seront de 15 millions
so what
puisque les Américains consomment
185 litres de boissons gazeuses
par année
dans le reste du monde
cette proportion est de 27,7 litres
le père Noël en effigie sur la bouteille
le pôle Nord vient d'être démystifié
dans les horribles bungalows
où les fêtes de Noël coûtent plus de 30 milliards
par année
pendant que des Rimbaud écarlates puisent aux songes des villes
les nouveaux poèmes
pendant que L'AMÉRIQUE manque de sommeil
puisque L'AMÉRIQUE fonctionne
24 heures sur 24
une étude dit que le temps de sommeil des Américains a diminué
de 20 % depuis un siècle

et qu'il en coûte jusqu'à 15,9 milliards en coûts directs
150 milliards en coûts indirects
mais à quoi pense donc L'AMÉRIQUE
pour si mal dormir ?
L'AMÉRIQUE
aucune société n'a connu de changements si rapides
des valeurs
L'AMÉRIQUE ne reconnaît plus ses miroirs
ah le livre de L'AMÉRIQUE
en édition de Poche
ou de luxe
mais L'AMÉRIQUE a imprimé 577 millions de timbres-poste
la semaine passée
écrire existe donc toujours
en AMÉRIQUE
même si ce n'est qu'une question de signature
sur un chèque
le budget Reagan pour 1986 dépassait
les 1 020 milliards
budget présenté comme une économie

où en est maintenant
L'AMÉRIQUE ?
au début du siècle en AMÉRIQUE
l'espérance de vie était de 48 ans
mais à force de jouer sur les gènes
la vie se prolongera
au-delà de 100 ans
certains prévoient pour bientôt
au-delà de plusieurs siècles
imaginez alors les œuvres complètes des artistes
en AMÉRIQUE l'immortalité est en train de devenir
réalité
après tout L'AMÉRIQUE a bien inventé au milieu du XVIIIe siècle
le paratonnerre
déjà L'AMÉRIQUE scrutait
se méfiait du ciel
au jour d'aujourd'hui un Américain sur trois
respire un air vicié
et que dire de la violence
des grandes villes américaines ?

Washington
capitale
du meurtre
489 homicides en 1991
et le président comme un pape
prie
mais la Vierge n'apparaît pas aux États-Unis
que pourrait-elle
apporter
porter
à défaut de jeans
ou d'une robe qui le lendemain
serait copiée
vendue
à des rock stars
aussi à l'aise dans la pornographie
qu'à la banque ?
mais les prisonniers de la peur
sont nombreux en AMÉRIQUE
25 millions de foyers possèdent des armes à feu

la moitié d'entre eux les gardent
chargées
et deux cents millions de ces armes
se promènent
en AMÉRIQUE
trente mille morts par balle
chaque année
c'est la première cause de décès
chez les adolescents noirs
135 000 enfants américains vont tous les jours à l'école
avec une arme à feu
un enfant qui vit au Costa Rica a plus de chances de survie
qu'à New York
ou à Détroit
et si la peur n'était plus de mourir
mais de vivre
la peur
de l'avenir
Kodak licencie des milliers de travailleurs en ce début de 1993
le miroir devient de plus en plus sophistiqué

le fantôme angoissant de 1929
où L'AMÉRIQUE perdit tellement de milliards
qu'on en parle encore
L'AMÉRIQUE
ses gains ses pertes
le mot milliard tout le temps
ou d'autres chiffres
par exemple le 20 janvier 1986 il en coûte 560 000 $ la minute
pour une annonce télévisée
au super-bowl
ou 500 000 $ les trente secondes
lors de la remise des Oscars cuvée 1993
devant un milliard de téléspectateurs
mais the best western is now
in the ghetto
planète des pauvres en orbite
autour de la richesse
et pourtant les 3/5 de ce que le monde mange
vient de L'AMÉRIQUE
mais en AMÉRIQUE vivent des millions de laissés-pour-compte

mais en AMÉRIQUE vivent des millions de sans-abri
mais les anges déchus de L'AMÉRIQUE
leurs yeux jonchés d'étoiles
en quête d'un geste
pour enrayer la calamité
qui les force à mendier
dans leur propre ville
à même leur corps
leur part de lumière
et ces anges affamés
laissent leurs plumes
dans des caresses
chiffrées
dangereuses et souvent mortelles
pendant que derrière la vitre de leur limousine
des élus se détournent
pour ne plus les voir
arpenter les trottoirs asphaltés
de l'enfer
et pendant qu'on rappe ailleurs

histoire d'oublier ces histoires
d'anges déchus
qui tournent en rond
dans leur démence
prisonniers de l'indifférence générale
les buildings de la ville s'allument
et à travers ces fenêtres
qui restent fermées comme des poings
on peut les voir tourner
comme des papillons sans défense
qui se brûlent
corps et âme
sacrifiés par le système actuel
qui les a pourtant enfantés
on les regarde
tomber
condamnés à espérer
à en désespérer
d'avoir comme les autres
leur part de lumière

l'optimisme crucifié
sur un bulletin de vote
voilà pourquoi certains Américains ne votent jamais
tandis que dans les prisons
les gangs
signent des pactes
blood In blood Out [1]
la loi de Caïn [2]
est florissante en AMÉRIQUE
voici une de leurs épitaphes
si j'avance
suis-moi
si j'hésite
pousse-moi
s'ils me tuent
venge-moi
si je trahis
tue-moi
et le juge condamne
à la prison

le criminel
qui durant des années sera
volé
violé
brutalisé
derrière les barreaux
l'enfer
n'est qu'une question de chance
de mots
qui sont bel et bien vivants
en AMÉRIQUE
260 000 panneaux-réclames bordent les routes
23 076 journaux et magazines sont en vente
162 millions de téléviseurs
seront ouverts
pendant une moyenne quotidienne de sept heures
23 237 cinémas présentent des films
27 000 boutiques louent des cassettes vidéo
3 millions et demi de vidéos porno sont loués
chaque semaine

et d'ici à la fin de la journée
1 600 messages publicitaires vous auront à l'œil
free AMERICA
et demain
leur nombre
aura augmenté
car là la poésie des chiffres
est vivante
bienvenue dans le monde de l'image
l'environnement visuel de L'AMÉRIQUE
d'après-guerre peut-on lire à
IMAGE WORLD
au Whitney Museum de New York
pendant que sur le mur des écrans de télé grésillent
dehors l'espace est placardé
de messages
come on and be
to be or not to be
happy
to be is to do

et dobedobedo chante le célèbre mafioso [1]
en overdose
en se noyant dans les remous de l'image
L'AMÉRIQUE gloutonne
glapit
de son âme borgne
en AMÉRIQUE quoi de plus facile
que de réorganiser le réel
que de faire semblant
L'AMÉRIQUE architecte le mental
as you wish
l'utopie du bonheur
L'AMÉRIQUE qui veut tellement être aimée
et le cœur
d'un million d'Américains flanche
chaque année
maladies cardiovasculaires qui auront coûté
85,2 milliards en 1987
le désastre de la navette spatiale Challenger [2] quant à lui a coûté
70 $

à chaque Américain
but the show was worth it
en 1941 durant la guerre L'AMÉRIQUE tourne le dos
et monte
à New York
Babes on Broadway [1]
ou que penser
de ces dépenses
de ces dossiers
où
le département de la Défense
a consacré 457 800 $ pour
comparer les mensurations des hôtesses
de l'air ?
où
84 000 $ ont été alloués pour savoir pourquoi
les gens tombent amoureux ?
pouvoir faire de l'amour un best-seller
pouvoir trouver la formule magique
le moyen de le piéger

ou encore
l'armée de terre américaine affirme
qu'un dénommé Jack Anderson a payé 6 000 $ pour
17 pages d'instructions permettant d'acheter
une bouteille de sauce
Worcestershire
c'est qu'en AMÉRIQUE les mots comptent
au pays de l'hamburgologie
n'ouvre-t-on pas
un McDonald's
dans le monde
toutes les quinze heures ?
le cœur aime bien mourir
all dressed
et la jeunesse américaine se suicide de plus en plus
et pour chaque adolescent qui le réussit
cent autres tentent de le faire
chaque année des milliers de suicides sont enregistrés
mais des millions
font des tentatives

annuellement
en AMÉRIQUE
it's nice
mais dans les centres commerciaux
dans ces Malls de l'AMÉRIQUE
où rôdent les assoiffés
les affamés
les intoxiqués
de la consommation
how much is enough ?
en AMÉRIQUE on construit 2 000 Malls
par an
combien d'écoles ?
mais jusqu'où peut-on aller
dans la tourmente
de la consommation ?
acheter c'est se racheter
dit L'AMÉRIQUE
mais le prix de l'âme
en AMÉRIQUE

on est quelqu'un
on le devient
quand on achète
ainsi on dit du Mall de Bloomington au Minnesota
qu'il attire
plus de visiteurs que La Mecque
ou le Vatican
et l'idée se propage jusqu'au Japon
en passant par l'Europe
ladies and gentleman welcome in Eurodisneyland
quand les riches construisent leur Golgotha[1]
quand les pauvres y viennent en pèlerinage
mais puisque IBM a réalisé en 1986 des profits nets
de plus de dix milliards
où est le problème ?
affiche l'ordinateur
mais puisque le même IBM a subi des pertes de 5 milliards
au dernier trimestre de 1992
Ford 7,5 milliards
General Motors 23,5 milliards

en AMÉRIQUE la guerre existe
elle est commerciale
depuis Trafalgar Square [1] en 1897
la première enseigne électrique au monde
inventée par George Eastman [2]
qui disait ceci
vous appuyez sur le bouton
nous faisons le reste
l'AMÉRIQUE a vite compris
et il inventa aussi le mot Kodak
en laissant une fortune et un chat
il se suicidera
en pensant qu'il prend
une ultime photo
de lui-même
une balle au cœur
je ne suis plus d'aucune utilité dira-t-il
il serait superflu de continuer
il a donc appuyé sur le bouton
L'AMÉRIQUE a compris la leçon

il est défendu aux images
de rester statiques
à en rendre fou Jackson Pollock [1]
et elles bougent
comme les mots d'une chanson
où chaque ville américaine est un couplet
quel message peut-on transmettre
à L'AMÉRIQUE de nos cerveaux
où ses icônes ont leur odeur propre ?
L'AMÉRIQUE
une tombe inviolée
où les prières œuvrent
désuètes
parce que L'AMÉRIQUE sait
que l'amour est un chat
qui aime se faire les griffes
sur du nouveau
et Mickey Mouse
la souris la plus laide
servira de mot de passe

durant la Deuxième Guerre mondiale
au commandement des forces alliées
le jour du débarquement
L'AMÉRIQUE en donnant une âme aux animaux
ce qu'aucun laboratoire n'avait pu faire
a gagné des milliards et des milliards
pour être plus précis
2,5 milliards de chiffre d'affaires en 1986
pour Walt Disney
je ne fais pas de l'art mais du show-business
se targuait son fondateur
le record de ventes de McDonald's est à Tokyo
deux hamburgers toutes les trois secondes
the business of AMERICA is business
a affirmé en 1925
son trentième président
Calvin Coolidge
et après cette Deuxième Guerre mondiale L'AMÉRIQUE déclarera
AMERICA took care of everything
car comme le dit aussi Mickey Rooney [1]

we're in God's country
mais la réalité affriolante des corps humains
continue
et ils se percent les oreilles
comme le sexe
nouveaux codes
pour dire qu'on garde le contrôle
de son corps
la définition de la beauté change
en AMÉRIQUE
impératrice d'elle-même
et de ses rêves
comme ceux de Gershwin [1]
et L'AMÉRIQUE d'innover dans la géographie musicale
son dynamisme
sa vitalité
directe
rapide
comme ses turnpikes [2]
pay cash

L'AMÉRIQUE
chef-d'œuvre baroque
opéra folklorique
et main dans la main des homosexuels se promènent
dans Castro[1] à San Francisco
où existe un musée de tatouage
en attendant
The Big One
parce que L'AMÉRIQUE aimerait par-dessus tout attirer
l'Apocalypse
car si quelque chose de cette importance doit se faire
il faut que ce soit en AMÉRIQUE
comme Challenger
où pour la première fois L'AMÉRIQUE embarquait avec l'équipage
sept cosmonautes
dont une prof
quand la télé s'affole
le désespoir s'écrit en flammes
sur l'écran bleu
it's real flames

it's real life
it's for real
L'AMÉRIQUE cauchemarde
sur un oreiller de feu
que peut dire la Nasa pour s'excuser
de ce vol obscène
qu'ont regardé des millions
d'enfants ?
quand la capsule fonce dans la gorge bleue
d'un ciel dément
combien de pilules alors ingurgitées
pour calmer
des méninges en déroute
grillées vives
les peurs avivées des cendres ancestrales
la technique d'un poème épique
qui brûle
le bec de l'aigle sniffe des astéroïdes
poussière d'ange écume des dieux
bandes dessinées d'un divorce

à l'américaine
l'air le feu
l'eau la terre
but life goes on
à travers la mort
et la télé de continuer
à ronronner
malheurs désastres
meurtres bombes
accidents inondations
feux vols
viols
la pyramide inversée de la mort
y a-t-il une erreur ?
puisque l'amour est Dieu
où est l'amour ?
au musée du Popcorn à Marion Ohio ?
peut-être
L'AMÉRIQUE incomparable
gare à L'AMÉRIQUE

qui dans le malheur
ne se contrôle pas
watch out
quand L'AMÉRIQUE hésite
à court de commentaires
le revolver se dégaine automatiquement
pour tuer
toutes condoléances
mais pour en rajouter
une dernière
we're sorry
we're so sorry
mais on a dansé
dans les rues de Badgad
puisque le président Bush[1] venait de mordre la poussière
mais un autre président se relève
en AMÉRIQUE le flambeau se repasse automatiquement
what you see is what you get
one more time
the show must go on

et en Floride
des enfants de six ans assassinent
par désœuvrement
pendant qu'ailleurs ils vont à la guerre
pour survivre
mais en AMÉRIQUE 35 millions de crimes divers
sont enregistrés en 1986
tandis que des journalistes examinent les poubelles
des stars
dans l'espoir
d'en retirer
une matière première
à ragots
pour des tabloïdes glacés
car L'AMÉRIQUE aime être offusquée
pourvu que le scandale vienne d'elle
question de s'amuser
avec ses propres fantasmes
au vu et au su des 6,2 milliards de terriens de l'an 2000
fun is nada [1]

dixit Hemingway
remember ?
mais puisque 96 % des américains croient en Dieu
ou à l'idée
d'un être supérieur
évidemment le ciel est près
tout près
de L'AMÉRIQUE
mais des études démontrent que les chiens américains
s'ennuient
à en mourir
et à Birmingham dans le Michigan on dénonce leur oisiveté
95 % de chiens n'ont pas de but dans la vie
et les humains ?
20 milliards pour les coupes de cheveux
par an
seulement la nation la plus riche
est aussi
la plus endettée
et si L'AMÉRIQUE dormait

actuellement sous une tente à oxygène
comme on l'a dit de sa célèbre star
le capitalisme va à sa ruine
dixit Karl Marx
mais avec quelle élégance
avec quelle férocité
on dit de L'AMÉRIQUE
que c'est la seule nation
qui est passée de l'ère de la barbarie
à celle de la décadence
sans être passée par la civilisation
et c'est L'AMÉRIQUE
qui rit le plus fort
de Wall Street à Walt Disney
en attendant
elle se promène dans ses ruines
asphaltées
près de ses motels minables
où s'ébattent les cobayes du rêve américain
mais les millions de mâles impuissants ?

mais les familles s'accrochent
sautent
de génération en génération
comme les disques d'un vieux hit parade
et les enfants continuent de se perdre
dans les forêts de plastique
mais attention
les pratiques sexuelles orales
peuvent encourir une peine de dix ans de prison
au Maryland
L'AMÉRIQUE se cache
à la Greta Garbo
qui dans son silence
n'aura jamais tant parlé
et pendant que les écrans éblouissent
le cynisme nerveux
des spectateurs
que nous sommes devenus
où le compliment ultime est d'en remettre
comme une affiche publicitaire

rien ne meurt en AMÉRIQUE
on ne fait qu'embaumer vivant
en AMÉRIQUE
vous dites plus ça change
plus c'est pareil
à cause de L'AMÉRIQUE plus rien ne sera jamais pareil
où mendient
des millions d'itinérants
comme L'AMÉRIQUE sur les routes des cerveaux
du monde entier
et si L'AMÉRIQUE aimait ça vivre
avec la pauvreté ?
si ça l'excitait ?
question de bien savoir combien elle est riche
et comme dit la veuve du dictateur[1] à Hawaï
when you know how much money you've got
you probably ain't got much
la pauvreté cette comparaison
rassurante
exultante

because they're might be trouble ahead
chante-t-elle
avec feeling
come on and be happy
let's face the music and dance[1]
mais que font les 20 millions de sourds-muets américains ?
but
did God really bless AMERICA ?
en AMÉRIQUE on répond
par l'affirmative
en ces temps-là sur l'autoroute floridienne
la 95
où il passe en moyenne 85 000 véhicules par jour
à la hauteur de Jacksonville
on lapidait les automobilistes
à coups de pierre
à coups de brique
ou on les tirait
du haut des immeubles
la vengeance biblique

pour jouer à Dallas
pour tromper l'ennui du 9 à 5
pour se faire du cinéma
en AMÉRIQUE l'armée achète des fœtus coréens
pour faire des expériences
bactériologiques
mais puisqu'en Allemagne ils servent à des fins cosmétiques
que l'AMÉRIQUE réutilisera pour ses multiples visages
d'une star à l'autre
où est le drame ?
puisqu'il y a huit chances contre une pour un Noir d'être tué
de quelle couleur est donc Dieu ?
se demande un nègre
à l'ombre blanche du Ku Klux Klan
les pieds dans le Mississippi
this strong brown God [1]
comme l'a nommé T.S.Elliott
de là en 1830 on a chassé les Indiens
au Kansas
où il n'y a pas d'eau

donc pas de vie
et un siècle et demi plus tard
la firme Sequoyah Fuels dans l'état de l'Oklahoma
avec ses carburants nucléaires fabrique
des fertilisants
en transformant les eaux usées
et radioactives
de ses usines
les Corn Flakes ont-ils meilleur goût
maintenant ?
et L'AMÉRIQUE aimerait tourner le dos au reste du monde
mais quand l'Europe vient à L'AMÉRIQUE
L'AMÉRIQUE toute excitée
lui fait des fêtes somptueuses
comme à Miami
lors de la visite du prince Charles et de lady Di
il en a coûté de 10 000 à 50 000 $ dollars par couvert
pour manger avec eux
pendant ce temps-là en Afrique
but who cares ?

pourant l'anorexie est flamboyante
en AMÉRIQUE
qui se culpabilise dans son corps
pourtant l'analphabétisme
qui se culpabilise dans son cerveau
ou
la maladie des jeunes héritiers
no motivation
un malaise strictement américain
c'est connu L'AMÉRIQUE n'a pas le sens de la richesse
de la retenue
et c'est à la banque
que L'AMÉRIQUE prie le mieux
après tout Sam Moore Walton [1] ne vaut que 2,8 milliards
et Madonna partie de Pontiac City
en cinq ans a amassé plus de deux cents millions
good girls go to heaven
rich girls go everywhere
faisait broder sur des coussins en lettres dorées la milliardaire philippine [2]
dans son luxueux sanctuaire de New York

et le monde regarde L'AMÉRIQUE pour voir
jusqu'où lui
il en est rendu
et le miroir hurle
effet technologique
du dernier cri
à la Munch[1]
par exemple le 4 juillet 1986
à New York
la statue de la Liberté a cent ans
le plus gros party du siècle
show-business cosmique
le président d'un doigt laser pointe God
save AMERICA
est-ce en AMÉRIQUE que Dieu a mis toute son intelligence ?
se demandent sans broncher plus d'un milliardaire
Liberty
that's our motto dit L'AMÉRIQUE
I don't think that I'm knocking the American system
dit Al Capone

mais la poésie
en AMÉRIQUE la poésie
est une virgule
qui chatouille le cul de l'ennui
comme le sexe
où une personne contracte une maladie
sexuelle
toutes les cinq secondes
mais la peur de l'avenir
mais depuis 1893 [1] L'AMÉRIQUE connaît ses frontières
mais le futur
back to it
la liste des libertés en AMÉRIQUE est-elle infinie ?
en voici des extraits en 1986
9 824 stations de radio
1 241 stations de TV
et la marée des informations continue
50 000 nouveaux titres chaque année
mais Charles Bukowski [2] vend plus de livres en France
et en Allemagne

qu'aux États-Unis
L'AMÉRIQUE n'écoute que ce qu'elle veut bien
entendre
ou encore comme dit Carlos Fuentes [1]
what does the U.S. does best is to understand itself
what it does worst is understand others
mais peut-être faudrait-il faire comme les Esquimaux
avec la neige ?
ils ont plus d'une cinquantaine de mots
pour définir
sa couleur
sa température
son relief
alors combien faudrait-il de mots pour définir le mot
liberté ?
toujours définie par L'AMÉRIQUE
freedom exists only in the land of dreams
a écrit le poète Schiller [2]
L'AMÉRIQUE
ses rituels

le poème continue
déloger la mort
de la fission de l'atome
l'entendez-vous bruire
dans les songes
des dieux massifs ?
la vie fabule
ses marées de couleurs
ses yeux de sable
enfouis au creux des pyramides
des mannequins-squelettes se pavanent
décorés de boas de plumes
en AMÉRIQUE
la mort aussi a ses adeptes
le sang nourrit ses Manhattans en fleurs
en AMÉRIQUE
on ne croit plus à rien
à part les musées
déjà dans l'autre AMÉRIQUE
à Chichen Itza [1]

on lisait les étoiles
les lézards intercédaient
pour les Challengers
les tragédies intimes des civilisations
leurs ambitions maintenant célèbres
leurs mystères surpris
le touriste confronté à son destin
chute
le ciel s'est refermé
sur l'envol des fusées
à venir la détresse permanente
les ouragans ne feront qu'une bouchée
des Babylones contemporaines
les banques ternies
les anges souillés
les idéaux pourrissent
à la vitesse de la lumière
le subsconscient de nos fois
engourdies
en AMÉRIQUE

il y a tant de laideur
de maisons tristes
le transitoire de leurs rythmes vacants
l'échec des croyances
mène à l'absurde
mais l'amour
et l'humain engendrent
les enfants de l'oubli
même l'or se dépouille
de ses magies
sur le piédestal des vents
les morceaux choisis de la douleur
à l'orée de toute pierre
le miroir vide du ciel
les mains cousues
en prières
la terre tourne en vain autour
d'un dieu immobile
en AMÉRIQUE
le trafic la pollution la contamination

le stress le burn-out la dépression
l'overdose la rébellion l'exécution
le sida l'analphabétisme la famine
l'infarctus le cancer la folie
la paralysie l'accident la surdité
la cécité l'anorexie l'impuissance
la maladie la vieillesse la mort
s'énumèrent
les empires pataugent
leurs yeux encore braqués
sur les étoiles mortes
la terre offerte
en sacrifice
transactions
avec le divin
peut-on différer l'Apocalypse
de notre façon de vivre ?
la mort toujours en sursis
les buildings sans cesse plus hauts
pour mieux creuser

pour moins trouver
leurs cubes froids
les espaces convoités
l'âme boudée
ces galeries flamboyantes
pour la relève des sarcophages
ci-gît la vie
qui s'échappe
dans l'air malade des villes
en lambeaux de lumière
qui subsistent
quand les rues tremblent
sur des mers bétonnées
entre des ciels condamnés
les reliques des religions
les yeux givrés
ne prennent plus la peine de lire
les fausses alertes
des taxis
les rites se fanent

asphyxiés de folie
le tragique drapé
de toute sa raison
jusqu'au grotesque
en AMÉRIQUE l'humain
se retourne
mais les effigies l'ont oublié
la gravité conquise
et L'AMÉRIQUE
de copier les étoiles
jusqu'à leur chant si privé
ah L'AMÉRIQUE
en ces temps-là le théâtre
n'avait pas besoin de coulisses
l'âme acceptait
la nudité
des maquillages
du sang
quand les humains croyaient vivre
dans le ciel

qu'envahissait L'AMÉRIQUE
centaure moderne
mais il est écrit
dans les grottes de Balankanche [1]
que les fruits reviendront
aux branches de l'arbre
de la vie
en AMÉRIQUE
l'eau changeante de la lumière
captée par des techniques audacieuses
là les formes frappent pour naître
le bois
la pierre
le cuivre
le verre
et autres métaux précieux
inventés
et sur la peau coulent
des regards radieux
beauté de stars à l'américaine

dans les écrans
ectoplasmes des divinités
des autres AMÉRIQUES
mayas
incas
aztèques
où l'humain contemporain écoute
le silence lourd
des ruines
malgré l'agitation intrigante des villes
mais il sait qu'il a perdu
le contrôle
la vengeance de la création sera terrible
certains corps célestes en sont d'éloquents exemples
et l'enfer s'étend sur les jungles encore humides
pourtant
les avions ouvertement font des cicatrices
dans le bleu universel
du ciel
de L'AMÉRIQUE

de la guerre aux famines
de l'ignorance aux fléaux écologiques
jadis dans un livre était écrit
il y avait un beau jardin
le poète juché
sur une pyramide
regarde
nouveau sorcier
la pluie tue maintenant
avec le soleil
alors dans des cavernes modernes
des artistes gravent
les traces de nos cauchemars
les anges crachent
sur nous
pitié pour l'avenir
alors creuser la terre
encore docile
dans nos mains
à la recherche de nos os ensanglantés

jusque dans leur moelle
nos écritures moulues
quand la vie cessera-t-elle de donner la mort
en spectacle ?
les banques
de sang
d'argent
de sperme
l'or
tombe
en poussière
les rites fanés
nous sommes les futurs dinosaures
nous ne serons qu'un mauvais souvenir
L'AMÉRIQUE
à suivre
L'AMÉRIQUE
the hottest place
L'AMÉRIQUE
crise perpétuelle

L'AMÉRIQUE
dans ses yeux des Nasas pétrifiées
dans son corps des mises à feu
au-dessus des Florides
roses et riches
L'AMÉRIQUE
qui se perpétue
drogue sexe and rock'n'roll
L'AMÉRIQUE
l'univers n'aura jamais été si compact
L'AMÉRIQUE
si apocalyptique
si
the craft has exploded [1]
L'AMÉRIQUE
où la fin du monde est filmée
L'AMÉRIQUE
New York se mire dans l'eau bafouée de l'Hudson [2]
L'AMÉRIQUE
la Californie tantôt menacée de sécheresse

de déluge
de tremblement de terre
L'AMÉRIQUE
les espions
les vidéoclips
L'AMÉRIQUE
s'autodéfense à coups de milliards
L'AMÉRIQUE
le sida surveille
L'AMÉRIQUE
God is money
L'AMÉRIQUE
même la mort est rentable
L'AMÉRIQUE
ses mises en scène impitoyables
à l'échelle de Richter
L'AMÉRIQUE
conforme à l'imagination
de la planète
mais quand les nouvelles civilisations auront éclipsé

l'orgueil des temples de Manhattan
quand elles se pencheront
au-dessus des cénotaphes
jadis lumineux
des villes du désert
quand à l'ombre tranquille
des pyramides
croupiront
nos barbaries démesurées
que retiendront-elles
du métal hurlant de nos rituels ?
verront-elles
sur la porcelaine blanche du matin
la parade des stars défuntes ?
la chair éblouissante de nos sourires
engluée dans la gélatine des écrans
où plus d'un Narcisse ont sombré ?
nos désirs momifiés surprendront-ils ?
la pellicule moulante
de nos rêves chassés

des jardins d'asphalte
sera-t-elle intacte ?
la chasse aux étoiles
sera-t-elle terminée ?
la mort
sera-t-elle aussi matérielle ?
les augures et les aruspices de
L'AMÉRIQUE
en ces temps-là un poète scrutait
les entrailles de L'AMÉRIQUE
qui fait
tilt

AMERICA AMERICA AMERICA AMERICA AMERICA AMERICA

3 355 no ending

Notes

Page 9

1. Mère et tante de Jean-Paul Daoust.

Page 11

1. Traduction : Les États-Unis eux-mêmes sont essentiellement le plus magnifique poème. Premier grand poète américain, Walt Whitman (1819-1892) ne publia qu'un unique recueil, *Feuilles d'herbe*, qu'il ne cessa d'enrichir jusqu'à sa mort. Y sont exaltés son individualisme, son amour de la nature et son libéralisme critique envers les États-Unis.

Page 13

1. Littéralement : Grosse Pomme. Surnom célèbre de la ville de New York.

2. Égypte, Rome, Babylone : trois cités impérialistes. Par sa puissance et sa richesse, l'Égypte domine presque constamment les peuples de la Méditerranée et, au cours d'expansions territoriales, ceux du Moyen-Orient, avant l'avènement de l'Empire romain. Ce dernier soumet les Égyptiens et impose son autorité sur le bassin méditerranéen à partir de 264 avant Jésus-Christ jusqu'aux invasions des Barbares qui précipitent sa chute en 476 après J.-C. Quant à Babylone, symbole d'une cité riche et dépravée, elle domine à quelques reprises, à partir de la fin du XVIIIe siècle avant J.-C., la Mésopotamie (appelée aujourd'hui Moyen-Orient).

Page 14

1. Littéralement : la Ville amusante (ou du plaisir). Surnom de la ville de Las Vegas. Aussi, terme consacré pour parler d'une ville où se trouvent des lieux d'amusement. Plusieurs villes américaines y prétendent.

2. Littéralement : la Ville venteuse. Surnom de la ville de Chicago, fréquemment balayée par de fortes rafales provenant du lac Michigan.

Page 15

1. C'est une liaison amoureuse de téléroman.

2. Rambo et Cie contre le mal. Rambo : héros du film américain *First Blood* (1982) de Ted Kotcheff. Johnny Rambo (joué par Sylvester Stallone), un ancien combattant du Viêt-Nam arrêté pour vagabondage dans une petite ville, s'évade et déjoue, avec force et violence, tous ceux qui le poursuivent. Le personnage est devenu le mythe de la revitalisation de la puissance de l'Homme américain, dont l'image avait été ternie par la défaite des troupes américaines au Viêt-Nam.

3. Son carnet de chèques.

Page 16

1. Rue de New York. Avant les années quatre-vingt-dix, entre Broadway et la 8e Avenue, cette rue regroupait un grand nombre de commerces pornographiques. La prostitution et la drogue y fleurissaient.

2. Base militaire et site de lancement des fusées, navettes et satellites de la NASA.

3. Petite localité sur le lac Hougton, au Michigan. Aldora Beausoleil, la tante de l'auteur, y tenait le Sand Bar. Pour l'auteur, ce lieu est un symbole de l'Amérique profonde.

Page 17

1. L'aigle est l'emblème faunique des États-Unis. Le lièvre (la planète du vers suivant) désigne une faible victime de cet aigle agressif.

2. Domaine somptueux d'Elvis Presley, à Memphis, au Tennessee.

3. Ville fondée par la chanteuse Dolly Parton, une sorte de Disneyworld western.

4. Ou Uranus : personnification du Ciel dans la mythologie grecque. Figure de l'autorité, du pouvoir et de l'origine de toute chose. Aussi, la 7e planète de notre système solaire. Elle compte cinq satellites connus.

5. Quartier populaire et dangereux de New York, au sud-est de l'île de Manhattan. Le quartier est en voie de devenir un lieu pour les artistes d'avant-garde, comme l'ont été autrefois Greenwich Village ou Soho.

Page 18

1. Célèbre boulevard de Hollywood où s'élèvent des cinémas et les somptueuses résidences des grandes stars du cinéma.

Page 19

1. Au singulier, monstre à corps d'homme et à tête de taureau de la mythologie grecque, maître du Labyrinthe. À intervalles réguliers, le roi Minos lui livrait sept jeunes hommes et sept jeunes filles qui se perdaient dans le dédale du Labyrinthe avant d'être dévorés par le monstre. Il fut tué par Thésée.
2. Qui n'est pas effrayé par l'Amérique?
3. Même l'Amérique est effrayée par l'Amérique.

Page 21

1. Littéralement: sourires pierre du Rhin. Sourires faux, sourires de toc, comme les fausses pierres que sont les pierres du Rhin en bijouterie.
2. Référence à Oncle Sam, surnom et figure symbolique et paternaliste de l'Amérique. Il est représenté par un homme aux tempes grises, coiffé d'un haut-de-forme aux couleurs du drapeau américain.
3. Centre, sans but lucratif, de traitement de la dépendance à l'alcool et aux drogues, situé à Rancho Mirage, en Californie. Fondé en 1982 par la femme du président Gerald Ford, Betty Ford, qui avait souffert d'alcoolisme, et par l'ambassadeur Leonard Firestone, le Betty Ford Center devait d'abord offrir un lieu de traitement aux femmes souffrant d'alcoolisme. Il reçoit maintenant jusqu'à 50 % d'hommes et propose un programme pour aider les familles dont un des membres est atteint de dépendance à quelque drogue que ce soit.
4. La main-d'œuvre bon marché trouve un référent dans l'allusion (*cotton style*) aux esclaves noirs qui cueillaient le coton dans les domaines du Sud avant la guerre de Sécession (1861-1865). Pour l'auteur, tous les travailleurs américains sous-payés pour de lourdes tâches sont des esclaves.

Page 22

1. Procédé largement utilisé par le cinéma américain et permettant l'impression de couleurs plus franches sur la pellicule. Par extension, le cinéma hollywoodien, celui du rêve, qui fait voir la vie en couleurs.

Page 26

1. Roman américain (1957) de Jack Kerouac, chef de file des beatniks. Le mouvement beatnik s'opposait aux valeurs et au mode de vie américains (consommation effrénée, standing social, sédentarisme, etc.). Dans le roman, Jack Kerouac se met lui-même en scène alors que, par toutes sortes de moyens de locomotion (auto-stop, voitures « empruntées », wagons vides de marchandises…), il parcourt d'est en ouest le continent américain. L'expression *on the road* associe la recherche d'aventures au parcours du vaste territoire américain.

Page 28

1. Sise à Detroit, tout comme le sont les plus importantes entreprises de l'industrie automobile (General Motors, Ford), cette célèbre compagnie d'enregistrement et de production de disques favorisa l'émergence de la musique populaire noire américaine : Diana Ross, Michael Jackson, Marvin Gaye, Stevie Wonder, etc.

2. Où le rythme (la fête) commence/promenez-vous à vos propres risques au centre-ville (là où se trouvent les lieux de divertissement). Le centre-ville de Detroit est reconnu pour être peu sûr.

3. Ville industrielle du Michigan et chanson du Glenn Miller Orchestra qui lui rend hommage.

Page 29

1. Attention/prenez un taxi.

Page 30

1. Littéralement : l'homme fait par lui-même. Mythe américain de l'autodidacte et de l'aventurier qui atteint des sommets en ayant tout appris de lui-même, par ses propres expériences.

2. Surnom de Hollywood.

Page 32

1. Jeunes poètes, artistes. Du nom du poète français Arthur Rimbaud (1854-1891) qui incarne le mythe du jeune génie artistique.
2. Jeunes hommes beaux et imbus d'eux-mêmes. Du nom du personnage mythologique qui tombe amoureux de son propre reflet sur l'eau et se noie en tentant de l'embrasser.

Page 33

1. Film disco (1980) de Robert Greenwald. Xanadu est aussi le nom du château où habite Charles Forster Kane, le héros de *Citizen Kane* (1940), chef-d'œuvre cinématographique d'Orson Welles. Le mot renvoie à un symbole de richesse et de démesure, car il désignait anciennement la somptueuse résidence, au nord de Pékin, du chef mongol et conquérant de la Chine, Qûbilan Khan (1215-1294), dont l'un des fonctionnaires fut Marco Polo.
2. Dernier mot mystérieux prononcé par le héros de *Citizen Kane*. Il décide de l'enquête d'un journaliste, dont le film offre la narration.
3. Référence au traitement du cancer par irradiation au cobalt radioactif.

Page 34

1. Dans la mythologie, le fleuve des Enfers. Ses eaux faisaient perdre tout souvenir aux morts qui devaient le traverser et qui ne pouvaient ainsi regretter leur vie passée.
2. Hall d'exposition de Tokyo.

Page 35

1. Traduction : CNN est au bon endroit au bon moment. CNN est une chaîne de télévision destinée à l'information continue.

Page 36

1. Emmys, Grammys, Tonys, Oscars : distinctions remises lors de galas télédiffusés par les gens de l'industrie artistique concernée aux meilleures productions américaines de l'année : les Emmys pour la télévision ; les Grammys pour l'industrie du disque et de la musique ; les Tonys pour les productions théâtrales (surtout de Broadway, à New York) ; les Oscars pour le cinéma.
2. Si tu peux le faire là (en Amérique)/tu peux le faire où que ce soit.
3. Quartier chic de Los Angeles.

Page 37

1. Célèbre film pornographique des années soixante-dix. Les personnages vivent dans un endroit magnifique mais qui se révèle être l'enfer puisqu'ils ne peuvent y connaître la jouissance malgré leurs tentatives répétées pour l'atteindre. Le film tint longtemps l'affiche sur la 42e Rue de New York, où se trouvait alors une concentration de cinémas pornographiques et de commerces du sexe.
2. Prends ça toi, salope d'enculé, tapette d'enculé.

Page 38

1. Ville du Kentucky. Lieu de la réserve fédérale américaine de lingots d'or et importante base militaire.

Page 40

1. Il ne s'agit pas d'un film japonais/c'est la réalité. Les spectateurs, blasés par toute la violence et toutes les catastrophes présentées par la télévision américaine, hésitaient à croire en la réalité du cyclone Gloria qui frappe New York en 1985.

Page 42

1. Célèbre acteur hollywoodien, surnommé Duke (1907-1979). Il incarna dans de nombreux films, tels *Stagecoach* (1939), *Rio Grande* (1950), *True Grit* (1969), le modèle du cow-boy américain.

2. Lutteur et acteur américain. Grand Noir de stature imposante, couvert de colliers, Mr. T s'est fait connaître dans le milieu de la lutte avant de tourner des films d'action.
3. Personnage de bandes dessinées créé en 1962 par Stan Lee et Jack Kirby. Après avoir été exposé à des rayons gamma, le docteur Bruce Banner se transforme, chaque fois qu'il est stimulé par la douleur ou la colère, en un géant puissant et verdâtre nommé Hulk.
4. Acteur américain né en 1946. Il a incarné à plusieurs reprises des personnages qui reconduisaient le mythe du (super) mâle américain violent : *Rocky* dans le film éponyme (1976) et dans les suites réalisées entre 1979 et 1990 ; Rambo dans *First Blood* (1982) et deux autres films (1985 et 1988), etc.

Page 43
1. Compagnie pétrolière américaine. Elle possède aussi les marques Esso et Mobil Oil.
2. Ville balnéaire et résidentielle près de Los Angeles.

Page 44
1. Chanteur et acteur américain (1915-1998), dont la popularité ne se démentit pas des années trente jusqu'aux années soixante-dix.
2. Le casino et lieu de spectacle le plus célèbre de Las Vegas, ville vouée au jeu et aux divertissements, située en plein désert du Nevada.
3. Marque d'un whisky fabriqué au Tennessee.
4. Pianiste américain (1919-1987). Homme de spectacle, il épatait son public avec ses costumes excentriques, ses bijoux et une virtuosité pianistique clinquante. C'est un exemple parfait d'un « art » associé à une richesse vulgairement étalée.
5. Chanteuse western américaine, née en 1946. Son sourire éclatant, sa poitrine très développée et ses costumes flamboyants en ont fait un sex-symbol. Comme Liberace, elle associe son art à une richesse tapageuse.

Page 46

1. Film américain (1975) de Steven Spielberg, où un énorme requin terrifie la population d'une petite ville balnéaire de Floride.

Page 47

1. La folie du jeu à la façon du grand romancier russe Fedor Dostoïevski (1821-1881). Dans son roman *Le joueur*, Dostoïevski décrit avec acuité la folie fiévreuse et angoissée qui s'empare d'un joueur compulsif avant d'illustrer ce qui sera finalement son lot: la déchéance de toute sa vie.

Page 48

1. Peintre et cinéaste américain (1931-1987). Ses œuvres les plus célèbres sont les fameuses suites de sérigraphies juxtaposant et modifiant les couleurs d'objets quotidiens, mais représentatifs de la société américaine (boîtes de soupe Campbell, bouteilles de Coca-Cola), celles des stars (Marilyn Monroe, Elvis Presley, Elizabeth Taylor...) et celles d'actes de violence (chaises électriques, bombe atomique...). Warhol conçoit l'artiste comme une marque de commerce.
2. Expression raciste et injurieuse dite par les Blancs aux Noirs. En outre, célèbre poème de Michèle Lalonde, publié seul en 1968 et joint à un recueil éponyme en 1974. Il a été perçu comme un manifeste contre le racisme des *Canadians* envers les francophones.

Page 49

1. En 1563, ce concile rejette les théories sur la réincarnation et défend aux chrétiens d'y prêter foi.
2. Comédie musicale de Leonard Berstein, dont Robert Wise a tiré un film (1959) qui a remporté plusieurs Oscars. Il s'agit d'une habile transposition de *Roméo et Juliette* de William Shakespeare, dans les quartiers pauvres de New York, autour des années cinquante, sur fond de luttes raciales: Portoricains contre Blancs.

Page 51

1. La capsule Columbia : module de commande de la mission Apollo 11 (1969), première mission lunaire américaine. Aussi, navette spatiale construite par la NASA pour conduire les astronautes à la station spatiale internationale en orbite autour de la Terre et les ramener ; elle s'est désintégrée au-dessus du Texas lors de son retour sur Terre le 1er février 2003.

Page 52

1. Actrice de cinéma américaine, née en Angleterre (1932). Elle commence sa carrière à dix ans et tourne, dans les années cinquante et soixante, près d'une trentaine de films, dont *A Place in the Sun* (1951), *Cat on a Hot Tin Roof* (1958), *Who's Afraid of Virginia Woolf?* (1966). Pendant ces années, elle devient l'actrice la mieux payée d'Hollywood.
2. Le royaume magique. Un des parcs thématiques du grand parc d'attractions de Disneyworld, dédié au monde de la féerie.

Page 53

1. Ville et plage célèbre de la côte ouest des États-Unis, non loin de Los Angeles.
2. Célèbre pont à l'embouchure de la baie de San Francisco, inauguré en 1937.
3. Marque d'un champagne californien.
4. Célèbre cinéma sur Hollywood Boulevard, où eurent lieu de nombreuses premières de films dans les années trente, quarante et cinquante. En déclin dans les décennies suivantes, il a été récemment rénové. Devant ses portes passe le fameux trottoir où des stars ont laissé dans le ciment l'empreinte de leurs mains ou leur signature.

Page 54

1. Personnage de dessins animés créé par Chuck Jones. Le Road Runner, espèce d'autruche mauve, déjoue toujours, en se déplaçant à une vitesse prodigieuse, les plans du Coyote qui tente de l'attraper. C'est la notion de très grande vitesse qui est ici associée aux touristes.
2. Va dans l'Ouest jeune homme. Titre d'un film américain (1936) de Hathaway, mettant en vedette Mae West.

3. Est-ce un fusil dans ton pantalon ou es-tu seulement heureux de me voir ? Réplique célèbre de Mae West (jouant une prostituée) à un jeune cow-boy arrivant au bordel, dans le film *Go West, Young Man.*
4. Actrice, scénariste et productrice américaine (1892-1980). Sex-symbol du début du cinéma parlant dans des films légers et grivois, elle est célèbre pour ses répliques croustillantes et son sans-gêne qui, tout en scandalisant la société bien-pensante, lui apportèrent gloire et fortune.

Page 55
1. Bien cuit, en parlant d'une viande.

Page 56
1. Et quand tu danses, tu meurs/pendant que tu es vivant.
2. Puissante compagnie de télécommunications et de réseaux d'information par satellite, située à White Plains, dans l'État de New York.

Page 60
1. Dans une vallée du même nom, non loin de San Francisco, ville où se trouve la plus grande concentration de compagnies et d'industries liées au domaine de l'informatique en Amérique.

Page 61
1. Je te poursuivrai en justice.
2. En Dieu nous mettons notre confiance. Devise américaine frappée sur toutes les pièces de monnaie.

Page 62
1. Zone crépusculaire. Titre d'une série télévisée américaine de fantastique et de science-fiction (1961-1964), produite par Rod Sterling.

Page 63
1. Téléroman, feuilleton.

Page 64
1. Il y a un grand centre commercial là-haut, si vous n'achetez pas vous mourrez.

Page 65
1. Inauguré en 1992, parc d'amusement (une réplique des Disneyland et Disneyworld américains), situé à Thèmes, en banlieue de Paris.

Page 66
1. Viens-t'en ! Formule utilisée par un assistant de l'animateur vedette du jeu télévisé *The Price is Right*. La formule convie de cette façon une personne de l'auditoire à se joindre aux trois concurrents déjà choisis. Chacun tentera de deviner au mieux le prix d'un objet de consommation afin d'accéder à un jeu suivant.
2. L'animateur de *The Price is Right*, Bob Barker, est entouré de jolies filles, au physique rappelant celui de la poupée Barbie.

Page 67
1. Quoi de neuf, docteur ? Réplique employée de façon ironique par le personnage de dessins animés Bugs Bunny, de Chuck Jones. Cette expression est passée dans la langue courante et signifie « que se passe-t-il ? ».

Page 68
1. Secte religieuse fondée en 1693 par le pasteur suisse Jakob Amman. Rameau de la secte des Mennonites, la secte Amish s'en distingue essentiellement par une interprétation qui lui est propre de la Bible. La plus vieille souche amish, venue d'Europe au XVIIe siècle, peuple encore la Pennsylvanie, dans la région de Lancaster County. Tout comme les Mennonites, les Amish refusent les

inventions et commodités de la technologie du XXe siècle. Leur vie est fondée sur la tradition et le travail de la terre. Toute forme de violence leur est interdite.

Page 71

1. Chanteuse de jazz, compositrice et actrice (1920-2002). Elle a collaboré avec les plus grands musiciens du jazz (Benny Goodman, Duke Ellington, etc.) avant de réorienter sa carrière vers une musique plus populaire (Bing Crosby, Quincy Jones, Paul McCartney, etc.). Malgré ses déboires familiaux et sentimentaux, elle poursuivit sa carrière jusqu'à sa mort.

Page 72

1. La saveur de la sortie/casse ta pipe en Floride (crève en Floride).

Page 73

1. Marjorie M. Post (1887-1973). Héritière de la compagnie Post qui fabrique les populaires céréales. Elle possédait une somptueuse maison à West Palm Beach, en Floride.

Page 74

1. Shamu, épaulard vedette du parc d'attractions aquatique de Sea World, près d'Orlando, en Floride.

Page 75

1. Et laisse le vent chaud me renifler.
2. Jardin botanique de la ville de Sarassota, en Floride.
3. Marque prestigieuse de pianos.
4. Peintre né en Angleterre (1937). Installé aux États-Unis dès 1960, il est l'un des chefs de file du Pop Art, mouvement artistique qui utilise dans ses productions des objets de la vie quotidienne (parfois des déchets) ou fait des représentations plus ou moins éclatées du quotidien.

Page 76

1. Tu as à suivre le soleil durant toute l'année.
2. Les prises (en mer) du jour. Suit une liste de poissons et de crustacés qu'on retrouve au menu de restaurants en Floride.

Page 77

1. À l'extrême sud de la Floride, archipel en forme d'arc avançant dans le golfe du Mexique. La dernière île se nomme Key West. L'écrivain américain Ernest Hemingway (1898-1961) y eut une résidence jusqu'à son suicide. Il se serait tiré une balle dans la tête. La famille dément toutefois la thèse du suicide et parle d'accident.

Page 79

1. Personnage rendu célèbre par l'œuvre dramatique éponyme (1790) de Goethe, le plus grand écrivain allemand. Faust vend son âme au Diable, Méphistophélès, et use de ses pouvoirs pour séduire l'innocente Marguerite.
2. Petite station balnéaire de Floride.

Page 80

1. Dans le roman d'anticipation *1984* de George Orwell, Big Brother n'existe pas à proprement parler : c'est un symbole qui rappelle aux citoyens que les dirigeants politiques les surveillent. Il est représenté sur des affiches par un homme au visage froid et au regard inquisiteur.

Page 81

1. Villes de Floride. Plusieurs villes américaines reprennent le nom de célèbres villes européennes.

Page 82

1. Ville de la côte est de la Floride. Lieu particulièrement prisé par les Québécois en vacances.

2. Édifice à bureaux de Washington qui abritait le quartier général du Parti démocrate. Un vol commis dans l'édifice, le 17 juin 1972, fut le point de départ d'un scandale politique qui trouva son aboutissement dans la démission du président Nixon, le 9 août 1974.
3. Ou maccarthysme. Ce mot désigne la vague de dénonciations et d'intolérance envers les éléments gauchistes qui frappe les États-Unis après la Seconde Guerre mondiale. Il a été forgé à partir du nom du sénateur Joseph McCarthy, responsable d'une commission sénatoriale, mise en place en novembre 1946, qui avait pour but d'enquêter sur la présence parmi les fonctionnaires de sympathisants à des causes subversives: communisme, fascisme, totalitarisme. C'est le début de ce qu'on a appelé « la chasse aux sorcières » (en référence aux procès de sorcellerie, à Salem, en 1692): une époque d'intolérance envers toute forme de pensée ou d'attitude marginales. Le gouvernement américain finit par blâmer le sénateur en 1954 pour son excès de zèle.
4. Les lois contre la consommation d'alcool votées par le Sénat en 1920 et abrogées en 1933. Soutenues par les comités de tempérance, ces lois ont surtout favorisé le marché noir et enrichi les nombreuses bandes du crime organisé.

Page 83
1. Célèbre boîte de jazz et de spectacle de Harlem, quartier noir de New York, au nord de Central Park. S'y retrouvaient les principaux caïds de la pègre noire.

Page 85
1. Né en 1551 et roi de France de 1574 à 1589. Son homosexualité était notoire. Ses vêtements très féminins (couleurs, dentelles) laissent croire qu'il aurait aimé être une femme.

Page 86
1. Allusion à un poème du recueil *Les feuilles d'automne* de Victor Hugo.

Page 87
1. Surnom du siège de l'ONU situé à New York.

2. Figure mythologique de la destinée.
3. « Maison de campagne » du président américain, situé dans un cadre verdoyant du Maryland. À plusieurs reprises, y ont eu lieu d'importantes négociations présidentielles affectant la politique étrangère. Par exemple, les Accords de Camp David, signés en 1972 par le président Jimmy Carter, le chef d'État égyptien (Anouar al-Sadate) et le premier ministre israélien (Menahem Begin) ont été une première étape importante en vue de régler les conflits au Moyen-Orient.
4. Ville du Nevada, célèbre pour ses casinos et ses mariages ultrarapides.
5. Paris, petite ville du Texas. Aussi, film allemand (1984) de Wim Wenders, sur un scénario du dramaturge américain Sam Shepard, où un homme désespérément amoureux recherche sans relâche sa femme qui, un jour, l'a quitté sans laisser d'adresse.
6. Réplique célèbre du film américain *Casablanca* (1943) de Michael Curtiz. Le héros, propriétaire d'une boîte de nuit, joué par Humphrey Bogart, demande ainsi au pianiste de son établissement de jouer de nouveau une mélodie qui lui rappelle les jours heureux vécus avec la femme qu'il aimait et qu'il a perdue (rôle tenu par Ingrid Bergman). La phrase est synonyme de nostalgie, de regrets, d'un passé heureux, mais révolu.

Page 88
1. Le mot « pop », abréviation courante de *popular*, serait apparu pour la première fois en 1956 dans une publicité vantant les mérites d'une quincaillerie de Hollywood.
2. Par allusion à l'artiste Roy Lichtenstein (1923-1996), peintre du Pop Art, dont les toiles sont des agrandissements gigantesques de bandes dessinées.

Page 89
1. Personnage du roman éponyme de l'écrivain russe Vladimir Nabokov (1899-1977). Il s'agit d'une jeune fille mineure qui entretient une relation passionnelle avec son beau-père. Lolita est devenue le prénom qui évoque la jeune fille faussement innocente de ses charmes.
2. Le personnage d'Œdipe, dans la tragédie grecque *Œdipe roi* de Sophocle, ne sait pas qu'il est l'assassin de son père et qu'il a épousé sa mère. Lorsqu'il l'apprend, il se crève les yeux.

3. Dans le film américain éponyme (1933) de Merian Cooper, King Kong est un gorille d'une taille gigantesque qui sème la terreur à New York, où il fut amené de force.

Page 90
1. Ce n'est pas tout, les amis.
2. Symbole de la ville excessivement riche et dépravée. La civilisation de Babylone domina politiquement, à plusieurs reprises, à partir de la fin du XVIIIe siècle avant J.-C., la Mésopotamie (actuel Moyen-Orient).

Page 91
1. La mariée est de retour.

Page 93
1. Devant une éternité nue (ou vide).

Page 94
1. « *Where the boys are* », chantait Connie Francis, chanteuse et actrice de cinéma américaine (1938-2002). La chanson populaire dont il est question vante la plage comme étant le meilleur endroit où rencontrer des garçons quand on est une jolie jeune fille « dans le vent » des années soixante. Elle est chantée par Connie Francis dans le film (le *beach movie*) américain *Where the Boys Are* (1960) de Henry Levin.

Page 95
1. Chômage.
2. Personnage du « méchant » dans *Star Wars* (1977), film américain de George Lucas.
3. Dans *Star Wars*, combattant ayant acquis une sérénité intérieure qui lui permet de vaincre ses ennemis.
4. Dans *Star Wars*, phrase à saveur incantatoire qui encourage le héros à combattre et à vaincre.

5. Indice industriel de la Bourse de New York. Par le biais du Dow Jones Industrial Average Master Unit, les investisseurs obtiennent un indice de la performance des principales sociétés cotées en Bourse du secteur industriel américain.
6. Mont du Colorado au pied duquel s'étend une importante base militaire. Le lieu est réputé pour ses OVNIs (!). Le mont prend son nom de la tribu indienne des Cheyennes.

Page 96
1. Bouclier de défense aérospatiale nord-américain. Le centre de contrôle antimissile est situé au mont Cheyenne.
2. Ville du Tennessee où est situé le tombeau d'Elvis Presley (1935-1977), star du rock. Memphis fut aussi, dans l'Antiquité, sur la rive gauche du Nil, au sud du Caire, une des plus importantes cités de la civilisation égyptienne.

Page 97
1. Nom d'un centre de désintoxication de New York.

Page 98
1. Dans le film *All about Eve* (1950) de J. Mankiewicz.
2. Ou Susan Hayward : actrice américaine (1918-1975). Grande star hollywoodienne des années quarante et cinquante.
3. Ce mot désigne, en grec, la tyrannie de Cypsélos (VIIe s. av. J.-C.). Chef du parti démocratique des marchands, des artisans et des marins, Cypsélos s'appuya sur les citoyens pour instaurer la tyrannie à Corinthe vers 657 av. J.-C. Il aurait gouverné de façon débonnaire et assuré un équitable partage, sinon du pouvoir — le tyran gouverne seul —, du moins des revenus de l'État au sein de la population de Corinthe. Il serait l'inventeur de l'argent.

Page 99
1. Nancy Reagan, épouse de Ronald Reagan, président des États-Unis de 1981 à 1989. Elle fit campagne contre le fléau de la drogue aux États-Unis.

2. Épouse de George Bush, père, président des États-Unis de 1989 à 1993. Elle continua la campagne contre la drogue de la précédente First Lady (titre de la femme du président en fonction).

Page 100
1. Chanson de Richard Rogers, interprétée par Frank Sinatra.
2. Croquettes de poulet.
3. Surnom de la statue de la Liberté.

Page 101
1. Le sida est à l'affût.

Page 102
1. Importante faille géologique qui court le long du littoral sud-ouest des États-Unis. Si un tremblement de terre l'élargit, elle pourrait engloutir toutes les villes de cette région, telles Los Angeles et San Francisco.

Page 104
1. Autre nom de l'Himalaya, chaîne des montagnes les plus élevées du monde, située au cœur de l'Asie.
2. Le plaisir est un rien perdu dans l'Amérique profonde.

Page 105
1. Célèbre gangster américain (1899-1947). Dans les années vingt, au temps de la prohibition de l'alcool, il assure son emprise sur la ville de Chicago, éliminant les concurrents et s'alliant les politiciens et les chefs de la police par la corruption. La bande des incorruptibles d'Eliott Ness réussit à le faire incarcérer pour fraude fiscale en 1931.
2. Immense et cruelle baleine blanche du roman américain éponyme (1851) de Herman Melville.

Page 106
1. Chanson d'Elvis Presley.
2. Fondateur des Villas du Poulet, chaîne de restauration rapide spécialisée dans le poulet frit.
3. Allemand de naissance (1909-1997), ce faux colonel fut le gérant d'Elvis Presley qui lui accorda sa confiance jusqu'à sa mort.
4. Chanson célèbre d'Elvis Presley.
5. Compagnie de transports par autobus.
6. Domaine d'Elvis Presley à Memphis, Tennessee.

Page 107
1. Les « body snatchers » sont des entités fantastiques qui s'attaquent à un élément vivant en en drainant la substance vitale pour former un clone, dont ils sont les maîtres. Les « body snatchers » apparaissent pour la première fois dans le roman *L'invasion des profanateurs* (1954) de Jack Finney.

Page 108
1. Orgie sexuelle/au Main Shaft de Greenwich. Le Main Shaft est un bar homosexuel, situé dans le quartier new-yorkais de Greenwich Village, où les hommes peuvent s'adonner à des rapports sexuels en public.
2. Excentrique milliardaire américain (1905-1976), dont la famille fit fortune dans la machinerie et l'outillage, et qui souffrit, pendant ses dernières années, de paranoïa aiguë.

Page 109
1. Le cinéaste américain Woody Allen et l'actrice Mia Farrow ont formé un couple célèbre de 1982 à 1992. Une fin de liaison orageuse vit leur différend étalé dans la presse.

Page 110

1. L'autoroute de l'amour dans une Cadillac rose. Un des fantasmes américains du bonheur, associant liberté et amour (et mauvais goût).

Page 111

1. Célèbre chanson de James Black et Katharine Purvis, interprétée entre autres par Louis Armstrong.
2. Nom d'un radar et de son fabricant.

Page 112

1. Slogan de propagande pendant la Deuxième Guerre mondiale pour inciter l'enrôlement militaire auprès de la jeunesse américaine.
2. Lasers offensifs.
3. Bombes intelligentes qui réajustent d'elles-mêmes leur direction pour toucher une cible.

Page 113

1. Allusion à Alice, personnage de Lewis Carroll qui apparaît dans *Alice au pays des merveilles* (1865). Dans une suite à ce conte, intitulé *De l'autre côté du miroir et ce qu'Alice y trouva* (1867), Alice traverse un miroir pour accéder à un monde où le temps, la logique et les mots écrits sont inversés.

Page 114

1. La Force renvoie au film *Star Wars*; l'Arche de l'Alliance, au film *Les Aventuriers de l'arche perdue* (1981) de Steven Spielberg. L'Arche de l'Alliance est le coffre où les Hébreux gardaient les Tables de la Loi sur lesquelles Moïse écrivit les dix commandements que Dieu lui avait dictés sur le mont Sinaï et qui scellent le pacte d'alliance entre Dieu et les Hébreux.

2. Acteur américain (1931-1955), décédé en pleine gloire dans un accident de voiture aux circonstances restées mystérieuses. En raison de ses rôles à l'écran dans *East of Eden* (1954), *Rebel Without a Cause* (1955) et *Giant* (1956), il incarne le mythe de la jeunesse révoltée et désœuvrée des années cinquante et reste un symbole sexuel alliant virilité et sensibilité.

Page 116
1. Fleuve qui baigne Washington de ses eaux.

Page 118
1. Chanson de Fred Astaire et Judy Garland.

Page 119
1. Drogue hallucinogène.
2. Perte du sens du réel par allusion à la série télévisée fantastique et de science-fiction intitulée *The Twilight Zone* (1961-1964), produite par Rod Sterling.

Page 120
1. Refuge pour les itinérants de New York.

Page 123
1. En français : *La petite maison dans la prairie.* Série télévisée américaine (1974-1982), inspirée des livres de Mary Ingalls Wilder, qui raconte la vie d'une famille de pionniers (les Ingalls) qui, après la guerre de Sécession, s'installe dans une petite maison du Kansas.

Page 124

1. La star française, c'est Yves Montand qui donne la réplique à Marilyn Monroe dans *Le milliardaire* (*Let's Make Love*), film américain (1960) de George Cukor.

2. Cinéaste allemand, né en 1945 : il est le plus important de sa génération et s'est appliqué dans son œuvre à souligner l'influence des valeurs américaines sur la pensée. Œuvres majeures : *L'ami américain* (1977), *Paris, Texas* (1984), *Les ailes du désir* (1987).

Page 126

1. Poète belge, né en 1946. Découverte par Raymond Queneau, la poésie de William Cliff est dite matérialiste parce qu'elle rejette l'éthéré et la beauté en art. Dans *America : poèmes* (Gallimard, 1983), le poète se met en quête de l'Amérique par la violence brute des mots.

Page 127

1. Important musicien et compositeur de jazz (1904-1984).

2. Surnom d'Elvis Presley.

3. Surnom d'Aretha Franklin, chanteuse américaine née en 1942, spécialiste du soul, forme de musique dérivée du jazz, aux rythmes langoureux.

Page 130

1. Personnage de dessins animés pour adultes, représentant une jeune fille très sexy dans sa robe noire moulante, créé par Dave et Max Fleischer au début des années trente.

Page 131

1. Fête donnée en l'honneur du centenaire de fondation de la compagnie Coca-Cola, en 1986, à Atlanta, dans l'État de Georgie, là où se trouve le siège social de Coke.

Page 139
1. Expressions relatives à un pacte du sang.
2. Loi de la vengeance, du meurtre, du sang.

Page 142
1. Frank Sinatra, qui était membre de la mafia.
2. Le 28 janvier 1986, la navette spatiale Challenger, ayant à son bord un équipage complet et une jeune institutrice, explose en plein vol, quelques minutes après son décollage.

Page 143
1. Comédie musicale de Finklehoffe et Stoll et film américain (1941) de Busby Berkeley, mettant en vedette Mickey Rooney et Judy Garland, où un groupe de jeunes artistes talentueux décident de monter leur propre spectacle sur Broadway. Un *happy end* clôt évidemment l'œuvre.

Page 146
1. Colline sur laquelle Jésus fut crucifié.

Page 147
1. Célèbre place publique de Londres, baptisée pour commémorer la victoire de la flotte de l'amiral Nelson sur une flotte franco-espagnole, à Trafalgar, aux larges des côtes espagnoles, en 1805.
2. Industriel américain (1854-1932) qui fonda la maison Kodak.

Page 148
1. Peintre américain (1912-1956), chef de file de la peinture gestuelle (*action painting*) et de la technique du *dripping*.

Page 149
1. Acteur américain, né en1920. Enfant prodige, il a vécu une des plus longues carrières d'acteur de l'histoire du cinéma américain. Ses positions politiques de droite sont bien connues.

Page 150
1. Musicien et compositeur américain (1898-1937). Combinant aux formes de la musique classique les rythmes du jazz, ses œuvres, dont *Rhapsody in Blue* (1924), comptent parmi les chefs-d'œuvre les plus caractéristiques de la musique américaine.
2. Autoroutes à péage.

Page 151
1. Rue de San Francisco, au cœur du quartier gay.

Page 154
1. George Bush senior, président américain de 1989 à 1993. Allusion au refus de l'Irak de se plier aux diktats de la politique américaine en matière d'armes bactériologiques.

Page 155
1. Le plaisir n'est rien, ne vaut rien/comme a dû se le dire Hemingway, puisqu'il s'est suicidé.

Page 159
1. Imelda Marcos, femme du dictateur Ferdinand Marcos des Philippines.

Page 160
1. Chanson d'Irving Berlin, compositeur russo-américain (1888-1989) de comédies musicales et de musiques de film.

Page 161
1. Le puissant Dieu brun. Surnom du fleuve Mississippi.

Page 163
1. Homme d'affaires américain, né en 1918. Fondateur de la chaîne de magasins Wal-Mart, il est le 3e homme le plus riche du monde, selon le journal *Fortune.*
2. Imelda Marcos, femme de Ferdinand Marcos, dictateur des Philippines à partir de 1965 qui dut fuir son pays en 1986. Les États-Unis leur donnèrent refuge à Hawaii. La richesse des Marcos fut amassée par la corruption, la répression politique et le vol des impôts du peuple des Philippines.

Page 164
1. Edvard Munch (1863-1944). Peintre norvégien. Son tableau intitulé *Le cri* représente un homme bouche ronde ouverte, ses deux mains de chaque côté de la tête, et les lignes du tableau semblent s'incurver pour donner une image de l'onde sonore que répand son cri.

Page 165
1. L'historien Frederick Jackson Turner proclame, à cette date, la fin d'une époque, celle de la frontière : la Conquête de l'Ouest est terminée.
2. Écrivain américain d'origine allemande (1920-1994). Il dut attendre la fin de sa vie pour être reconnu, car ses romans où les délires et les descriptions sexuelles abondent choquaient, malgré des qualités d'écriture évidentes, les milieux littéraires américains. Œuvres majeures : *Journal d'un dégueulasse* (1965), *Contes de la folie ordinaire* (1972).

Page 166
1. Né en 1928, Fuentes, le plus célèbre écrivain mexicain, est l'auteur de *La mort d'Artemio Cruz* (1962).

2. Écrivain allemand (1759-1805). Avec Goethe, il est la grande figure du romantisme allemand. Son *Ode à la joie* a été mis en musique par Beethoven dans sa 9e symphonie. Comme dramaturge, il est l'auteur des *Brigands* (1781), de *Dom Carlos* (1787), de *Marie Stuart* (1800), de *Guillaume Tell* (1804), etc.

Page 167
1. Important site de ruines maya de la péninsule du Yucatán, à la frontière du Mexique et du Guatemala.

Page 173
1. Caverne située non loin du site de Chichen Itza.

Page 177
1. Le vaisseau a explosé.
2. Fleuve qui se jette dans la baie de New York.

Dossier d'accompagnement

présenté par
Claude Gonthier,
professeur au cégep de Saint-Laurent

Je tiens à remercier Sébastien Lavoie pour son aide dans le choix du roman de Dany Laferrière.

Claude Gonthier

LE CONTEXTE

LE CONTEXTE SOCIOHISTORIQUE

L'Amérique de Jean-Paul Daoust pose un regard double sur la société américaine. Le poème se veut une apologie et une critique de cette civilisation exceptionnelle sur bien des plans, mais vouée au conformisme, à la morale puritaine et au pouvoir de l'argent. Pourquoi l'Amérique s'attache-t-elle à ces valeurs et met-elle tant l'accent sur les biens matériels ? Un peu d'histoire permet de le préciser.

Une indépendance profitable

La découverte de l'Amérique remonte à 1492. Ce vaste continent existait toutefois bien avant la venue des Européens. À la fin du XVe siècle, il est déjà occupé par des civilisations complexes et raffinées en déclin (les Incas, les Aztèques) et par des tribus nomades bien adaptées aux conditions de vie du territoire (Amérindiens, Inuits, peuplades de la Terre de Feu, etc.). Imbus de leur culture et de leurs valeurs, les Européens méprisent ces peuplades, qu'ils qualifient de « sauvages ». Pendant les deux siècles suivants, ils les massacrent ou les assimilent. Ainsi est créé le « Nouveau Monde », très tôt baptisé *Amérique* en l'honneur d'Amerigo Vespucci [1].

En Amérique du Nord, aux XVIe et XVIIe siècles, naissent trois colonies : une espagnole, en Floride, au Texas et sur la côte du Pacifique ; une française, des rives du Saint-Laurent jusqu'à l'embouchure du Mississippi à La Nouvelle-Orléans et une britannique, sur la portion centrale de la côte de l'Atlantique. Au nord, les Français, établis sur les rives du Saint-Laurent, explorent le continent jusqu'aux territoires de l'Ouest, mais développent à peine les terres conquises. La Nouvelle-France reste peu peuplée et sert avant tout de poste de traite des fourrures. Il n'en va pas de même de la très dynamique Nouvelle-Angleterre qui, limitée au littoral de la côte, en exploite au maximum les ressources.

Les origines de la morale américaine

La colonie anglaise s'est pourtant établie tardivement sur la côte Est, au sud des établissements français de l'Acadie (baie de Fundy) et au nord de ceux des Espagnols de la Floride

1. Le baptême de l'Amérique relève d'une erreur. Après la disgrâce de Christophe Colomb auprès des souverains d'Espagne et du Portugal, Amerigo Vespucci recueillit leurs suffrages et il écrivit un ouvrage sur le nouveau continent. C'est pourquoi le cartographe allemand Martin Waldseemüller, dans la première édition de sa *Cosmographie* (1507), lui en attribue la découverte. Bien qu'elle fût corrigée dans les éditions ultérieures, l'erreur s'imposa. Par ailleurs, Colomb, qui aurait longtemps cru avoir découvert une région inconnue des Indes, n'a pas été oublié par « sa » découverte : le mot *Columbia*, largement répandu en Amérique, honore sa mémoire.

(baie de Savannah). Lente à se développer, la vocation coloniale anglaise ne prend un essor vigoureux qu'en 1620, avec l'arrivée de cent deux pèlerins puritains[2] qui abordent, sur le célèbre *Mayflower*, la côte Est, près de Cape Cod, au Massachusetts.

Par son autonomie et sa persévérance, la communauté puritaine, qui se développe avec succès en Amérique, loin d'une Angleterre qui la persécutait, devient rapidement un exemple pour la jeune colonie américaine quand, en 1776, soucieuse de prendre en main les rênes de son économie, elle arrache son indépendance à la Mère Patrie et prend le nom d'États-Unis d'Amérique. Encore aujourd'hui, la morale et les valeurs puritaines demeurent le creuset mythique de la société américaine, imposant leur puissant ascendant sur la conduite des instances politiques et judiciaires de la nation. Les puritains parlaient de plus une langue qui s'est imposée sur un territoire où le hollandais, le suédois et l'allemand ont aussi été employés; ils symbolisent donc la domination culturelle anglo-saxonne. Pour l'*establishment* américain blanc, anglo-saxon et protestant (WASP[3]), ce sont les premières communautés puritaines qui représentent encore les fondements les plus nobles de la pensée et de l'organisation sociale américaines, en dépit de l'apport crucial des groupes ethniques au développement des

2. Les puritains sont des protestants calvinistes qui refusent de reconnaître l'autorité royale en matière de religion, autorité qui prévaut depuis le schisme de l'Église d'Angleterre avec celle de Rome sous Henri VIII (1530). Les puritains les plus extrémistes, appelés « séparatistes », se détachent de l'Église anglicane et s'exilent d'abord à Leyde (Hollande) en 1607, puis au Massachusetts (Nouvelle-Angleterre) en 1620.

3. WASP: White Anglo-Saxon Protestant.

États-Unis d'Amérique. Au sein du *melting-pot* ethnique, le courant puritain a acquis une sorte de préséance et, bien qu'à diverses reprises un vent de libéralisme, issu des élites intellectuelles, ait réussi à souffler sur l'ensemble du pays, on ne saurait aujourd'hui saisir avec justesse la mentalité américaine sans comprendre l'héritage des puritains dont l'emprise n'est pas étrangère au conformisme foncier de l'Américain moyen.

Les puritains vivent selon les principes les plus rigoristes de la foi protestante. Sectaires de l'Église anglicane, ils cherchent dès les débuts du XVIe siècle à y imposer sans succès des règles morales plus sévères. Fuyant la persécution dont ils sont victimes sous les règnes d'Élisabeth 1re et de Jacques 1er, ils s'exilent à la recherche de lieux où leurs principes rigides pourront être librement mis en application dans des communautés fermées aux étrangers. Avant le débarquement sur la côte du Massachusetts, ils rédigent le pacte du *Mayflower*, par lequel chacun d'eux s'engage à honorer les lois qu'ils seront amenés à édicter pour le bon fonctionnement de la colonie. Ils jettent ainsi les fondements de la tradition démocratique américaine où le consentement populaire s'impose comme loi et renforce le conformisme du groupe par rapport aux aspirations, jugées velléitaires, de l'individu.

Les puritains se sont expatriés avec la conviction d'avoir une mission à remplir, celle de créer une société consacrée à Dieu. Pour y parvenir, ils prônent les valeurs du travail et de la discipline. Dans ce milieu, tendu vers l'impérative nécessité de réussir, le travail devient donc un devoir et la principale (sinon l'unique) raison de vivre. En conséquence, un individu ne peut faire un bilan positif de sa vie si son travail ne lui a pas permis de se distinguer. Seules la gloire et la richesse, couronnements de ses louables efforts, offrent ici-bas des signes de la bienveillance de Dieu, c'est-à-dire les meilleurs gages de l'obtention du Salut dans l'Autre Monde. Paradoxalement, les puritains, qui fixent leur conduite sur une grande austérité spirituelle, considèrent la célébrité et la fortune comme les plus hautes valeurs auxquelles un individu puisse aspirer. En Amérique, il a toujours été enviable qu'un citoyen fasse étalage de sa gloire et de sa fortune ; il n'en est que plus estimé, car il atteste ainsi de son respect des directives divines et de son éclatante contribution à la vitalité et au dynamisme de la nation. C'est à ce titre que même un bandit reconnu comme Al Capone (1895-1947) peut devenir un citoyen vénéré ! La célébrité et le pouvoir de l'argent peuvent damer le pion à la morale, en autant que les apparences sont sauves. Tout est donc subordonné aux fruits du travail, et même la liberté s'y voit infléchie. En Amérique, la liberté consiste à se donner toute latitude pour développer son esprit d'entreprise en vue d'améliorer son sort et sa condition. Cette conception de la liberté fait de l'Amérique une jungle d'asphalte[4] où tous les coups sont permis. La seule tare, c'est d'être un *looser*, un perdant. Il n'y a pas de place pour ceux qui ne réussissent pas ou qui ne veulent pas réussir, parce que cela est contraire à la volonté de Dieu.

---

4. Dans *The Asphalt Jungle* (1950), roman de W. R. Burnett et film de John Huston, la narration d'un vol de banque permet de constater l'individualisme forcené des Américains.

L'intolérance

Dès l'établissement de la colonie de Nouvelle-Angleterre, l'État et les valeurs chrétiennes sont étroitement liés. La trace symbolique de cette alliance se retrouve aujourd'hui dans la devise américaine *In God we trust* (« En Dieu, nous mettons notre confiance ») qui orne chaque pièce de monnaie. L'Amérique croit en l'immanence d'un Dieu favorable et protecteur *en autant qu'elle le respecte et observe ses lois*[5]. Sur cet acte de foi repose toute l'organisation sociale et la légitimité que se donnent le gouvernement et les institutions de l'Amérique dans leurs attitudes envers les citoyens. Au nom de la pérennité, il devient impératif de maintenir et de consolider les principes moraux et de les imposer à chacun. La communauté a donc plus qu'un simple droit de regard sur le comportement des individus : elle se reconnaît le droit de veiller à la stricte observance des lois de Dieu et s'accorde le pouvoir d'assujettir tout individu qui s'écarte ou se soustrait au conformisme étroit en vigueur. Dans l'histoire des États-Unis, le gouvernement ou une quelconque autorité d'ordre public se sont ainsi rendus coupables d'intolérance à plusieurs reprises. Des procès de sorcellerie du XVIIe siècle à Salem[6]

---

5. Dans *Platoon*, film d'Oliver Stone, le récit se termine par une profession de foi : les Américains ont perdu au Viêt-Nam *parce que leur conduite n'était pas assez pure, parce qu'ils n'étaient pas les anges de liberté qu'ils auraient dû être.*
6. Petite ville près de Boston, au Massachusetts, tristement célèbre pour la « chasse aux sorcières » qui y sévit à la fin du XVIIe siècle au sein de la communauté puritaine. L'hystérie collective conduisit à des procès truqués où les condamnés furent exécutés.

au maccarthysme[7] des années cinquante, l'Amérique possède la peu reluisante tradition de fouiller la vie privée de ses citoyens et de les condamner lorsqu'ils ne respectent pas les seuls pensées ou comportements jugés acceptables selon la loi de Dieu et la pensée conformiste. Pour être accepté, l'individu doit être un bon citoyen et un homme moral dans ses croyances et dont les idées doivent s'infléchir au point de se plier aux exigences conservatrices qu'impose la société[8].

Le conformisme des lois religieuses et morales répand sur toute la société américaine une sévérité qui rejette tout ce qui n'est pas jugé utile au travail. Certes, les Américains peuvent fêter et s'amuser, mais toujours dans un temps imparti aux festivités et à l'occasion de réjouissances collectives. Là, les capacités d'organisation du plaisir se déploient dans toute leur efficacité, parce qu'il s'agit encore une fois de réaliser un travail (la fête) qui doit être couronné par le succès. Dans ces conditions, la morale n'est jamais mise à l'épreuve. Elle se

---

7. Le « maccarthysme » : période débutant en 1950 pendant laquelle des commissions sénatoriales présidées par le général McCarthy (1908-1957) instituent des enquêtes sur le communisme aux États-Unis qui dégénèrent en une « chasse aux sorcières », c'est-à-dire en un acharnement, outrepassant les libertés judiciaires et civiles, à l'endroit de tout individu (surtout ceux des milieux artistiques et intellectuels) qui conteste les institutions américaines. Les accusés, taxés d'obédience communiste et de trahison envers l'État, furent emprisonnés ou renvoyés en cours de justice ; là, certains furent condamnés et exécutés (voir le couple des Rosenberg en 1953). Le Sénat dissout les commissions et blâme le général en 1954.
8. Le nivellement par le bas et le conformisme des idées et des comportements de la société américaine ont été perçus dès le XIXe siècle par Alexis de Tocqueville dans *De la démocratie en Amérique* (1835).

voit plutôt renforcée. Au contraire, le plaisir devient suspect lorsqu'il n'est d'aucune utilité pour la communauté. C'est pourquoi le rigorisme américain fomente une attitude de rejet à l'égard du sexe. Encore aujourd'hui, les Américains continuent de le sanctionner dans ses manifestations et de le réprimer dans ses interdits. Dès leur plus jeune âge, les hommes et les femmes, formés à la pensée puritaine, le considèrent comme un vice répréhensible. Il l'est même plus que la colère et la violence, car celles-ci ont le net privilège de relever d'une action dynamique, de sous-tendre une volonté de se battre pour en arriver à un accomplissement. Même si leurs démonstrations extrêmes sont condamnables, elles le sont moins, en définitive, que celles du sexe : on peut donc présenter des actes de violence et des meurtres sur grand écran, mais on hésitera à montrer l'amour au lit, parce que ce plaisir lascif ne produit rien d'utile. Ce n'est que depuis les années soixante-dix que le cinéma américain secoue cette pruderie. Encore n'est-ce pas dans toutes les productions ! De plus, Hollywood a trouvé une façon de contourner l'épineux problème du sexe à l'écran en l'associant à la violence et aux meurtres dans des productions destinées aux amateurs de sensations fortes. Issus des littératures policière et d'espionnage, ces films d'action s'intéressent surtout à la valorisation des qualités viriles du héros auquel le spectateur masculin devra s'identifier. Il devient un précieux moyen de canaliser une sexualité primaire, rapide et « hygiénique », où la tendresse et l'humanité sont laissés pour compte (la femme devient un objet) au profit de la fonction biologique, voire mécanique, du sexe. Le récit envisage donc la sexualité comme une nécessité qui garantit la réussite de la mission héroïque. Le sexe demeure tout aussi utilitaire ici que dans les institutions du mariage et de la famille qui perpétuent la tradition et le conformisme moral.

L'ère Reagan

Depuis leur indépendance en 1776, les États-Unis n'ont cessé d'accroître leur puissance économique et politique. Au XXe siècle, après la Première Guerre mondiale et, de nouveau, après la Deuxième, ses importants acquis économiques sont consolidés par l'aide apportée à la reconstruction de l'Europe. Dès la fin des années quarante, les États-Unis occupent ainsi la position de leader politique du monde occidental. Pendant la guerre froide, qui l'oppose à l'URSS entre 1946 et 1962, le bloc communiste lui offre un solide contrepoids. Puis, pendant les années soixante et soixante-dix, un vent de renouveau souffle sur la société américaine, contribuant à une tolérance accrue, voire inédite, à l'endroit des minorités raciales et sexuelles. À l'inverse, la décennie quatre-vingt, celle des deux mandats à la présidence de Ronald Reagan auxquels succède le mandat de George Bush, senior, qui prend fin en 1992, rétablit les valeurs conservatrices et le despotisme de la majorité blanche, anglo-saxonne et protestante (WASP). Même en politique étrangère, les États-Unis adopte une autre fois leur bonne vieille arrogance envers le bloc communiste et surtout envers le monde arabe, ce qui mène à l'escalade de la guerre du Golfe de 1990. Lorsque Jean-Paul Daoust fait paraître *L'Amérique* en 1993, les États-Unis viennent tout juste de traverser cette crise politique doublée d'une phase de resserrement des contraintes morales et idéologiques. Le poème propose un portrait de la société américaine où le factice, l'illusion et le mensonge sont plus puissants que jamais. Sans tomber dans l'ornière du rejet primaire de tout ce qui est américain, *L'Amérique* illustre la fascination que suscite la culture américaine et souligne qu'elle fait partie de notre mémoire et de notre sensibilité. En somme, depuis l'indépendance acquise à la fin du XVIIIe siècle, les États-Unis d'Amérique ont connu une destinée glorieuse et *L'Amérique* fait voir que tout le continent, sinon toute la planète, est subordonné à ce grand pays tout neuf qui, après le démantèlement de l'URSS au début des années quatre-vingt-dix, est devenu sans conteste la première puissance mondiale.

LE CONTEXTE CULTUREL ET LITTÉRAIRE

Aux États-Unis

La victoire culturelle par le cinéma

La montée du pouvoir politique de l'Amérique au XXe siècle se double d'un irrépressible rayonnement culturel qui, même au pire de la guerre froide, s'immiscera jusque dans la culture des pays membres du pacte de Varsovie[9]. Plus que la force de persuasion militaire, c'est la culture américaine qui assure aux Américains leur domination sur le monde. Cet engouement

9. Pacte de défense militaire réciproque signé, en 1955, par les États socialistes : URSS, Albanie, Bulgarie, Hongrie, Pologne, République démocratique allemande, Roumanie et Tchécoslovaquie.

pour la culture américaine apparaît dès l'entre-deux-guerres, dans les années vingt. Son ambassadeur le plus populaire est le cinéma, ce nouvel art inventé à la toute fin du XIXe siècle. Contrairement au cinéma russe qui en fait surtout un moyen de propagande épique et austère (*Le cuirassé Potemkine* de Eisenstein), ou au cinéma européen qui en fait le plus souvent un objet esthétique, le cinéma américain se veut avant tout un divertissement. *A priori*, il ne semble pas conçu pour illustrer des idées et défendre des valeurs. Il ne paraît jamais soutenir une thèse idéologique. Or c'est justement dans son apparent infantilisme que se camoufle son pouvoir de sujétion. En proposant un monde de rêves, d'illusions et d'artifices, incarné dans une réalité simple et quotidienne, le cinéma – du moins le cinéma hollywoodien – se fait le plus irrésistible propagateur des valeurs et des idées américaines. La recette est simple : il montre un héros (ou une héroïne) aussi sympathique que familier, auquel le spectateur s'identifie d'emblée. Ce protagoniste, bien fiché dans une réalité américaine banale, voit dès lors s'ouvrir devant lui un extraordinaire destin et, même s'il doit lutter et se battre, il ne peut être que victorieux, afin d'être envié des spectateurs qui, dans les salles obscures, vivent par procuration ses aventures.

Le septième art ne cherche pas très loin les modèles qui l'alimentent. Il puise dans ce que la culture populaire américaine offre déjà de plus divertissant : la comédie musicale, le western et les récits d'aventures, les histoires d'amour sucrées, le burlesque et son jeu loufoque (nommé *slapstick*) popularisé par Charlie Chaplin. Tout cela repris à l'envi, adapté et reproduit en série, souvent dans les mêmes décors rafraîchis d'une production à l'autre, et pour lesquels les studios hollywoodiens occupent de vastes terrains. Le cinéma est moins un art qu'une puissante industrie, une *business.* Et, aux pays des stars, la célébrité et la fortune donnent toute sa légitimité au divertissement roi, tout en créant des mythes (Marilyn Monroe, James Dean, Humphrey Bogart…) qui vont contribuer à en faire un élément de culture indispensable pour des millions de personnes à travers le monde.

La littérature américaine

Aux côtés du géant qu'est le cinéma, la littérature américaine apparaît bien discrète. Non qu'elle n'ait ses titres de noblesse. Toutefois, si les écrivains américains du XIXe siècle ont fini par s'imposer (Dickinson, Hawthorne, Melville, Henry James), ce n'est que pendant l'entre-deux-guerres que percent en Europe les écrivains dits de la « génération perdue » : Fitzgerald, Faulkner, Steinbeck, Dos Passos et surtout Ernest Hemingway. L'œuvre de ce dernier remet en question la valeur et la pertinence du mythe de la virilité et sonde l'existence humaine pour mettre en évidence toute sa vacuité. Hemingway met ainsi à mal les deux concepts sur lesquels repose en bonne partie la société américaine. Pour celle-ci, la nécessité du travail et le rigorisme moral, tout en donnant un but à l'existence, appellent les hommes au courage : ils doivent tous être prêts à se battre pour réussir, toujours prêts, tels de fiers cow-boys, à faire reculer la frontière de l'Ouest [10]. Or, se demande l'écrivain, qu'advient-il de ce combat

10. Ou, depuis Kennedy, la frontière de l'espace, substituée à la frontière de l'Ouest, ce que l'imaginaire hollywoodien a récupéré grâce à la frontière de l'inconnu du capitaine Kirk et de son vaisseau *Entreprise* dans *Star Trek.*

devant l'impuissance (sexuelle ou idéologique), le vieillissement et la mort ? *Nada is nada* (le néant est néant). L'inutilité de toute chose, de toute action est soulignée chez Hemingway par le dérisoire des victoires, comme celle du héros du *Vieil homme et la mer* (1952) qui pêche un poisson énorme, mais qui ne ramène au rivage, au péril de sa vie, qu'une carcasse presque totalement ravagée.

À l'instar d'Hemingway, les écrivains américains (ceux qui font de la littérature et non des best-sellers qui ressassent les formules et les clichés de l'illusion et du rêve propres à la culture américaine) apparaissent comme des trouble-fêtes de la conscience américaine. Ils mettent bien souvent en évidence l'intolérance, l'hypocrisie et le conformisme étouffant de leur société, et dénoncent le mensonge de ce bonheur assuré qu'elle promet à tout individu qui s'attelle à un travail acharné ou à une lutte féroce pour se faire une place (*self-made man*).

Après la Seconde Guerre mondiale, la littérature, sous l'influence du mouvement *beatnik*, puis du mouvement hippie, cherchera constamment à mettre en évidence les splendeurs et les tares de la société américaine. Dans *L'Amérique*, Jean-Paul Daoust ne fait pas autre chose. Son regard se pose sur l'Amérique de façon critique et constate, par l'accumulation de faits et de données, que ce monde n'est pas aussi parfait qu'il prétend l'être et que, sous un discours qui tente de tout enjoliver, couve une souffrance peut-être plus horrible qu'ailleurs parce qu'elle est constamment niée.

Au Québec

L'américanité et la littérature québécoise

En littérature, le concept d'américanité recouvre tous les référents, les valeurs et les thématiques propres à l'Amérique, ici entendu au sens restrictif de l'Amérique étasunienne, celle du *mainstream* de la population blanche, anglo-saxonne et protestante (WASP), et non pas des discours minoritaires en Amérique (amérindien, latino-américain, québécois [11], etc.). Les traces de l'américanité dans un texte vont du simple référent qu'est une bouteille de coca-cola à l'évocation d'une star hollywoodienne. Ce peut être aussi, comme il est expliqué plus haut, la nécessité du travail, la notion toute particulière de la liberté en Amérique, la fascination de la célébrité, le pouvoir de l'argent, les mythes américains tels le cow-boy, le *self-made man*, la femme-poupée-Barbie, ou encore l'évocation de grands espaces.

Puisque la littérature québécoise est une littérature d'Amérique, elle incorpore diverses traces d'américanité. L'évocation de grands espaces, présente dès le XIXe siècle dans *Charles Guérin* (1853) de P.-J.-O. Chauveau, est associée à la liberté dans *Kamouraska* (1970) d'Anne Hébert et dans *Volkswagen Blues* (1984) de Jacques Poulin. Le récit de Dany Laferrière intitulé *Cette grenade dans la main du jeune Nègre est-elle une arme ou un fruit ?* se développe sur le double registre de l'admiration/dénonciation de l'Amérique, soulignant ses grandeurs, ses

11. Le discours québécois est bien un discours américain en raison, d'une part, de sa situation géographique et, d'autre part, de ses valeurs et de ses référents. Il a toutefois des aspects, comme sa langue, qui le singularisent.

aberrations et ses illusions (en particulier en ce qui concerne les Noirs) sur un ton semblable à celui adopté par Jean-Paul Daoust dans *L'Amérique*. Le mythe du *self-made man* se retrouve dans *Jean Rivard* (1862-1864) d'Antoine Gérin-Lajoie [12] et dans le personnage de Jean Lévesque de *Bonheur d'occasion* de Gabrielle Roy. (Ce dernier roman ne fut-il pas un best-seller aux États-Unis ?) Enfin, l'intrigue policière de *Zone* de Marcel Dubé rappelle l'univers de James Dean dans *Rebel without a Cause*, et les relations père-fils d'*Un simple soldat* (1957) celles de *Death of a Salesman* (1949) d'Arthur Miller.

La poésie québécoise

Influencée dans les premiers temps par les modèles français, puis devenue, à partir de la Révolution tranquille, la *poésie du pays*, la poésie québécoise accomplit dans les années soixante-dix une mutation idéologique. Conserve-t-elle alors une voix qui lui serait aussi propre que celle développée pendant les années soixante par les poètes de l'Hexagone ?

À l'orée des années soixante-dix, quand la distance s'estompe entre les poésies québécoise et américaine, certains poètes d'ici souscrivent d'emblée au mouvement de contestation qui balaie le continent depuis bientôt deux décennies [13]. Sur les traces, entre autres, du poète

---

12. Voir l'étude de Robert Major en bibliographie.

13. Pour les besoins de notre exposé, est ici délaissé le courant plus « structuraliste français » de la poésie québécoise, celui de poètes majeurs comme Nicole Brossard ou Roger Des Roches. Notons aussi que la poésie de la contre-culture au Québec était en retard d'une décennie sur la littérature américaine : au moment où elle éclôt ici, elle s'achève là-bas.

Allen Ginsberg, un des gourous du mouvement hippie, certains poètes québécois prennent le virage de la contre-culture. Déjà l'avant-garde littéraire américaine des années cinquante, considérée comme un modèle dans les milieux québécois de l'avant-garde des années soixante-dix, faisait du « cauchemar climatisé [14] » un de ses sujets de choix. On reconnaît bien aujourd'hui les retombées de la culture *beat*, dont les auteurs-phares, les Kerouac, Burroughs et Henry Miller, sont maintenant aussi encensés qu'ils furent de leur temps traînés dans la boue. Dans les années soixante, le mouvement de la contre-culture fait d'eux de grands mages et, à leur exemple, les écrivains font l'apologie de l'Amérique tout en ne cessant de remettre en question les mythes et le conformisme américains. La poésie québécoise, avec dix ans de retard sur son modèle américain, souscrit bientôt dans une large mesure aux mêmes valeurs idéologiques de contestation.

Dans un premier temps, les poètes québécois des années soixante-dix s'appliquent à la subversion des normes, des valeurs et des idées reçues et cherchent à renverser les lois et les tabous afin de déstabiliser l'ordre établi ; dans un second temps, ils font voler en éclats les règles et les codes du langage et s'ingénient à désarticuler et à pervertir les formes poétiques. C'est le règne de l'expérimentation. Les poèmes de Denis Vanier, de Lucien Francoeur ou de Claude Beausoleil contribuent à inscrire la poésie québécoise dans une réalité chargée à bloc d'améri-

---

14. *Le cauchemar climatisé* (1954), récit d'Henry Miller. Le cauchemar climatisé est une métaphore de la société américaine conformiste.

canité. La poésie n'est plus un art supérieur, policé et apprêté, mais un art de la rue et du quotidien. Qu'il prenne les allures d'un délire de LSD (Vanier), découle d'un état d'esprit *rocker*[15] (Francoeur) ou soulève une question d'appartenance (Beausoleil), il est toujours directement branché[16] au continent américain. Chaque poème veut révéler une facette de *notre* américanité, qu'elle soit grandiose ou déficiente, exaltée ou malsaine. Globalement, les thèmes proviennent de la contre-culture de la côte ouest américaine et les poèmes québécois se contentent d'en véhiculer les idéologies, du mouvement hippie à celui du *flower power*. Durant ces années, la poésie québécoise prend peu de recul face au discours de la contre-culture américaine qu'elle se limite bien souvent à reproduire pour se prémunir de toute influence française[17]. Car la poésie québécoise se met à l'heure de l'Amérique. Jean-Paul Daoust, qui fait son apparition à cette époque, reprend ainsi dans ses œuvres le discours libérateur des tenants de l'affirmation gay (Ginsberg, Gore Vidal, Paul Monette, Edmund White). Ses premiers recueils souscrivent donc à certains enjeux de la poésie américaine. Sa réelle originalité est à venir, lorsque, pendant la décennie suivante, sa poésie opte pour un ton plus personnel.

---

15. Rappelons que Lucien Francoeur se considère comme un *vrai rocker*, et non, comme il l'affirme de son propre chef, comme un *rocker en pampers*, tel le chanteur canadien Corey Hart.
16. Ces poètes préféreraient le mot « connecté » ou « plogué ».
17. Dans le milieu de la contre-culture québécoise, seul Patrick Straram, le Bison ravi, anagramme de Boris Vian, conserve des liens solides avec la France. Pour certains, cela s'explique par ses origines françaises, pour d'autres, il s'agit plutôt du reflet le plus original de son œuvre qui s'attache à créer une véritable cosmogonie (voir la bibliographie).

De façon générale, les années quatre-vingt confèrent à la poésie québécoise un registre intimiste, simple et délié. Aux grands éclats idéologiques et aux expériences avant-gardistes sur le langage des années soixante-dix succède une pensée plus subtile et mieux articulée dans ses critiques (comme, chez Jean-Paul Daoust, son rapport à l'Amérique). La poésie se fait moins révoltée, plus réflexive, dans le même temps où elle accuse une tendance à un lyrisme très centré sur l'expérience de l'individu, qu'elle a hérité en partie de la poésie féministe, apparue vers 1975, où la narration du vécu et des souvenirs (chez France Théoret par exemple) servait de tremplin à une remise en question des rapports entre les sexes. Les auteurs des années quatre-vingt[18] ne font pas école, ne prônent aucune idéologie et ne se battent pour aucune cause. Toutefois, ils ont en commun le souci de parler d'eux-mêmes et de leur rapport subjectif au monde. Et ils exposent, parfois de façon très crue, une sexualité (féminine, masculine ou gay) qui contribue à humaniser leurs œuvres où pointe l'évidente tentation du romanesque par le choix de formes simples et d'un discours limpide, soigneusement rythmé, par lesquels les poètes racontent et analysent la réalité autant pour l'exprimer que pour la réinventer.

Chez Daoust, de plus, la satire sociale est manifeste, comme dans *L'Amérique*, où il tente de rendre à cette civilisation son réel visage et de mettre en perspective ses rêves en technicolor.

---

18. Élise Turcotte, Louise Desjardins, Louise Warren, Michael Delisle, Jacques Boulerice, Paul Chanel Malenfant, Jean-Paul Daoust, entre autres.

LA SATIRE

La satire est un genre littéraire développé surtout par les Latins. Juvénal (55-140), le premier grand satiriste de l'histoire de la littérature, était un rhéteur qui s'est plu à esquisser de cinglants portraits de ses concitoyens romains. Avec un sens parfait de l'à-propos, il croquait sur le vif les divers types physiques et moraux qu'il côtoyait et mettait en évidence la malhonnêteté des pouvoirs politiques et les comportements aberrants ou dépravés de la société de son temps. Juvénal, qui devait peu aux Grecs, a influencé de façon durable la satire littéraire.

Les œuvres majeures du genre satirique jalonnent l'histoire de la littérature. Le plus souvent, elles se limitent malgré tout à la peinture de types sociaux, comme chez La Bruyère ou Molière dans ses pièces de théâtre. Rares sont les écrivains qui osent peindre une société tout entière pour en écorcher au passage les dirigeants et les institutions. Il est vrai que la censure guette, car la satire reste peu prisée par le pouvoir politique. L'écrivain irlandais Jonathan Swift l'avait compris, qui travestissait le satirique de ses œuvres, tel celui des *Voyages de Gulliver* (1726), sous l'humour et la fantaisie. Malgré de semblables précautions, Voltaire et Diderot, à la même époque, ont souvent dû prendre la fuite ou ont connu pendant quelques mois la prison parce qu'ils s'étaient adonnés sans mesure à la satire politique ou morale. En fait, il faut attendre la période romantique et Victor Hugo pour que la littérature, et la poésie de surcroît, ose s'affirmer comme une arme satirique [19] et

19. Et encore *Les châtiments*, recueil de poèmes satirique contre Napoléon III, a connu une édition expurgée à laquelle Victor Hugo s'était résigné, avec l'espoir qu'elle soit diffusée en France. Mal lui en prit, car cette version fut elle aussi saisie par la police.

prétendre à une critique en règle de tous les aspects d'une société dans un registre réaliste parfois très cru.

Au Québec, la satire eut longtemps maille à partir avec les autorités politiques et religieuses. Pour avoir publié *Marie Calumet* (1904), un roman qui fait la satire des mœurs paysannes, Rodolphe Girard est congédié par son employeur, le journal *La Presse*; *La Scouine* (1918) d'Albert Laberge verse souvent dans la caricature, malgré sa volonté de décrire le milieu rural de façon réaliste, aussi le roman est-il condamné par Mgr Bruchési ; quant à Jean-Charles Harvey, il subit le même sort au *Soleil* que Girard à *La Presse* pour avoir fait paraître *Les demi-civilisés* (1934), un roman composite qui oscille entre le pamphlet politique, le roman policier et la satire des mœurs. Dans les années soixante, par ailleurs, les auteurs osent s'exprimer plus souvent contre la morale religieuse du Québec d'alors. L'année 1978 et la pièce *Les fées ont soif* de Denise Boucher marquent un revirement car, si la pièce féministe essuie les attaques du clergé (parce qu'on y parodie la Vierge Marie !), celui-ci est incapable de la faire interdire.

En 1993, *L'Amérique* de Jean-Paul Daoust ne connaît pas les foudres de la censure, car elle est révolue. *L'Amérique* apparaît toutefois comme une des rares œuvres québécoises qui utilisent le registre de la satire hors des sujets de la langue et de l'indépendance politique. Aussi n'est-ce pas la moindre originalité du poème de Jean-Paul Daoust. D'autant que l'œuvre ne cède jamais ni à une dénonciation en bloc de la civilisation américaine ni à un simple discours d'humeur. Un peu plus loin, dans la section portant sur l'explication de l'œuvre, il sera fait état des modalités de la satire dans *L'Amérique*.

JEAN-PAUL DAOUST ET SON ŒUVRE

SA VIE

Jean-Paul Daoust est né à Valleyfield, le 30 janvier 1946. À partir de 1959, à la suite du décès de son père survenu deux ans plus tôt, le jeune Jean-Paul se rend chaque été au Michigan, non loin de Kalamazoo, chez sa tante Aldora qui possède un bar. Chaque automne, il revient au Québec, où il fait ses études. Au début des années soixante-dix, sa mère épouse un millionnaire américain, dont elle divorce cinq ans plus tard, pour vivre pendant plusieurs années encore aux États-Unis.

Dès la fin des années soixante, Jean-Paul Daoust se rapproche des milieux de la poésie québécoise et tisse des liens d'amitié avec de nombreux poètes. Parallèlement, il entreprend des études en littérature. En 1970, il obtient une licence en lettres et, en 1974, une maîtrise en lettres de l'Université de Montréal. Cette même année, il devient professeur au département de français du cégep Édouard-Montpetit. Il fréquente toujours assidûment les cercles de l'avant-garde littéraire (Gaston Miron, Nicole Brossard, etc.) et surtout celui de la contre-culture (Denis Vanier, Josée Yvon, Lucien Francoeur, etc.). Avec un premier article, « Drugstore », paru dans la revue *Cul-Q* du 20 mai 1975, il amorce une longue série de collaborations, en tant que critique, essayiste ou poète, à des revues aussi diverses que *Hobo-Québec*, *Jeu*, *Spirale*, *APLF* (*L'Atelier de production littéraire des Forges*) ou *Lèvres urbaines*. À la fin des années soixante-dix, la force du courant underground à Montréal attire ici des directeurs de revues étrangères. À cette époque, à l'occasion de son passage au Québec, Jean-Yves Reuzeau [1], le directeur de *Jungle*, invite Jean-Paul Daoust à publier quelques poèmes dans sa revue. Karl Jirgens, le directeur de la revue torontoise *Rampike*, fera de même quelques années plus tard, impressionné par des lectures publiques de Jean-Paul Daoust auxquelles il a assisté. Daoust est tout particulièrement célèbre pour les flamboyantes lectures qu'il donne de ses œuvres. Pour cette raison, il a été l'invité de nombreuses manifestations et forums de poésie.

En 1986, Jean-Paul Daoust fait partie du nouveau comité de rédaction de la revue *Estuaire*, dont il devient le directeur à l'automne 1993, associant ainsi son nom à la plus ancienne revue de poésie et l'une des plus importantes du Québec. Les publications de l'auteur dans d'autres revues ne cessent pourtant pas comme le prouve, par exemple, la parution des poèmes « Ta Peau », dans le numéro de décembre 1984 de l'*APLF*, et « Lèvres ouvertes », dans le n° 24 de *Lèvres urbaines* en 1993.

En juin 1984, il participe au Colloque de Moncton, en Acadie, dont les actes paraissent aux Éditions Perce-Neige sous le titre *Les cent lignes de notre américanité*. À partir de la

1. Maintenant le directeur des Éditions du Castor Astral, à Paris.

fondation, en 1985, du Festival de poésie de Trois-Rivières, il prend part à chaque édition. Il est également invité dans presque tous les salons du livre au Québec et, en 1998, il est membre de la délégation culturelle du Québec au Salon du livre de Paris. L'année suivante, il lit quelques-unes de ses œuvres aux Journées littéraires de Mondorf, au Luxembourg, et au premier festival de poésie de Dakar, au Sénégal, où il se présente de nouveau en 2001. Il s'est aussi produit en Slovénie, en Belgique, en Martinique, et dans presque toutes les provinces canadiennes. En octobre 2002, il est l'un des invités du prestigieux festival Harbourfront de Toronto.

À trois reprises, Jean-Paul Daoust lit *L'Amérique*, en français, aux États-Unis : deux fois, en 1994, à l'Alliance française et à l'Université de New York et, en 1996, à l'Université de Tucson (Arizona). Reçu chaleureusement par certains Américains, qui en admirent la vision large et kaléidoscopique, le poème en scandalise d'autres par son ton satirique.

De 1999 à 2001, Jean-Paul Daoust est aussi un chroniqueur occasionnel (six à sept participations par année) de l'émission littéraire *Jamais sans mon livre*, à la télévision de Radio-Canada, où il présente et discute de romans, de biographies, d'essais, de films et surtout de recueils de poésie. Il y est invité aussi, à titre d'auteur, pour présenter son dernier roman, *Le désert rose*, et, à titre de directeur, pour présenter *Estuaire*.

Son dernier recueil de poésie, *Roses labyrinthes*, une anthologie comptant quelques inédits et destinée au public français, paraît en juin 2002, aux Éditions du Castor Astral de Paris. Il partage sa demeure entre Montréal et la région de Lanaudière.

SON ŒUVRE

Contre-culture et dandysme

L'œuvre de Jean-Paul Daoust compte plus d'une vingtaine de recueils de poésie et deux romans. Publié en 1976, son premier texte, *Oui, cher*, est un court récit d'une trentaine de pages où le lecteur entre dans la conscience intérieure d'un jeune homosexuel pendant sa traversée poétique et sexuelle de Montréal par une pluvieuse nuit de dégel hivernal. D'abord écrit pour répondre aux exigences d'un mémoire de création, ce texte lui permet d'obtenir sa maîtrise à l'Université de Montréal. À l'instar des toutes premières œuvres de Jean-Paul Daoust, *Oui, cher* appartient au mouvement de la contre-culture : on y retrouve une affirmation de l'individu et une critique de la société à laquelle se mêlent, dans le cas de Daoust, des préoccupations sur la condition homosexuelle. Toutefois, le poète cherche encore sa voix, et son œuvre n'acquiert une dimension plus personnelle et ne se révèle d'une facture plus achevée qu'à partir du poème intitulé *Dimanche après-midi* (1985) où, en une vingtaine de pages, sont évoqués de façon poignante de lourds souvenirs d'enfance : la mort du père un dimanche après-midi, l'impuissance devant cette mort, le poids des conventions, les premiers désirs amoureux et, en toile de fond, le désœuvrement de la jeunesse pendant les longs dimanches en famille. Dans ce texte, le poète adopte déjà la figure du dandy, réutilisée dans plusieurs œuvres, qui confère à la poésie de Daoust son halo romanesque et son unité.

Dans un poème-manifeste, intitulé *Du dandysme*[2] et publié à la Nouvelle Barre du Jour en 1986, Jean-Paul Daoust montre que le dandysme ne saurait se réduire à un simple comportement et qu'il est un art de vivre. Héritier de Baudelaire, et surtout d'Oscar Wilde, le dandy veut faire de son existence une œuvre d'art. Son rapport au monde est fait d'une interminable série d'acceptations et de rejets. Pour cette raison, *Du dandysme* se révèle être une suite presque ininterrompue de phrases qui débutent par *j'aime* ou *je n'aime pas.* Dans une écriture toujours allègre et rythmée, le dandy s'exprime d'une façon à la fois distinguée, décadente, flamboyante et acide sur la réalité qui l'entoure. Notons, à ce propos, que la conscience très nette de sa subjectivité de dandy est le point de départ de *L'Amérique*: le poète désirait explorer une approche différente de la réalité. Dans l'élaboration de *L'Amérique*, l'importance prise très tôt par les statistiques et les faits historiques avait pour but d'astreindre l'écriture à fléchir ou à amenuiser son habituel dandysme. Le discours du poème devait atteindre une sorte de neutralité froide. Si Daoust lui-même aime, dans la vie, jouer le personnage du dandy, s'il s'affiche ainsi aux lectures publiques de ses œuvres, il voulait cette fois l'éclipser au profit d'une vision plus large et plus objective de la société américaine. Il ne s'agit pas d'un « tournant » dans l'œuvre de l'écrivain — le dandy réapparaît en effet comme le héros de son plus récent roman, *Le désert rose* (1999) —, mais d'une contrainte littéraire permettant de stimuler l'écriture.

2. Réédité aux Éditions Trois en 1991.

Les pôles autobiographique et satirique

L'ensemble de la production de Jean-Paul Daoust s'ordonne autour de deux pôles : l'autobiographique et le satirique. Les œuvres qui s'approchent du premier pôle voient le poète parler de lui-même, de ses expériences, de sa vie et de sa condition homosexuelle, sous le couvert de la figure du dandy. Sont ainsi relatés des souvenirs, des aventures, des incidents, cependant que l'écriture jongle avec les mots, souvent par les analogies que suggèrent les sens, car la poésie de Daoust s'adonne beaucoup aux perceptions sensuelles. Le chef-d'œuvre du pôle autobiographique demeure sans contredit *Les cendres bleues* (1990), un émouvant poème qui retrace les relations sexuelles que l'auteur a connues, à six ans et demi, avec un jeune homme de vingt ans. Encensée par la critique[3], cette œuvre connaît de nombreuses rééditions, dont une, à Paris, en 1992, dans une version voix/texte enregistrée par l'auteur. L'œuvre est de plus traduite en anglais en 1999 chez Guernica[4].

Dans le second pôle de l'œuvre, le satirique, où perce parfois la figure du dandy, Jean-Paul Daoust interroge les valeurs de la société, encense ses beautés, dénonce ses injustices et

3. D'ores et déjà considéré comme un classique de la poésie québécoise des années quatre-vingt-dix, *Les cendres bleues* a parfois été mal reçu, car l'auteur ne tombe pas dans le propos moralisateur et ne condamne pas son « agresseur », de qui il parle plutôt comme d'un amoureux (ce qui n'oblitère pas les difficultés émotives qui ont marqué le jeune enfant).

4. *Blue Ashes (selected poems, 1982-1998)*, traduction de Daniel Sloate. Une anthologie de poèmes de Jean-Paul Daoust avait déjà été traduite, en 1991, chez le même éditeur, par le même traducteur : *Black Diva (selected poems, 1982-1986).*

fait état de ses détresses, dans un discours qui tente de dépasser les intérêts de l'individu pour rejoindre ceux de l'Humain. Le sujet de prédilection des œuvres de ce pôle demeure la culture et la société américaines. Jean-Paul Daoust entretient avec l'Amérique une relation complexe faite tout à la fois de fascination et de répulsion. De plus, ses fréquents séjours aux États-Unis l'ont très tôt mis en contact avec l'autre réalité américaine, non pas celle des « images » de gloire et de fortune, de *stars* et de *money makers*, dont les Américains sont si prolixes, mais celle du quotidien banal de l'Amérique profonde. En conséquence, le thème de l'américanité, noyau du pôle satirique de l'œuvre de Jean-Paul Daoust, met en opposition les grandeurs et les misères de l'Amérique, tout en répondant à une préoccupation, chère à l'artiste et ancrée en lui depuis sa jeunesse, de rendre compte d'une réalité qui fait partie intégrante de sa sensibilité. L'œuvre la plus importante du pôle satirique est évidemment *L'Amérique, poème en cinémascope* (1993), publiée chez XYZ éditeur.

Il serait erroné de conclure, à la lecture de ce qui précède, que les deux pôles de l'œuvre de Daoust s'excluent l'un l'autre, car plusieurs textes les concilient en parts égales ; c'est le cas d'une œuvre de Jean-Paul Daoust intitulée *111, Wooster Street* (1996). Le titre fait référence à l'adresse du studio du Québec, situé dans le quartier de Soho à New York, que le gouvernement met chaque année à la disposition de boursiers du Conseil des arts et des lettres du Québec. C'est là, par exemple, que René-Daniel Dubois écrivit sa célèbre pièce *Being at Home with Claude.* Dans la première partie du recueil, intitulée *Wooster Street*, Jean-Paul Daoust part de ce lieu pour évoquer, en une série de courts poèmes, divers aspects de la mégalopole américaine : la succession de ces petites touches brosse finalement une splendide fresque de New York, de son quotidien, de son art, de sa décadence, de ses séductions, de la beauté des rencontres d'un soir qu'on peut y faire à la terrible sensation de solitude qu'on peut y ressentir.

Prix littéraires

En 1990, Jean-Paul Daoust reçoit le Prix de la poésie du Gouverneur général pour *Les cendres bleues*. En 1993, il a l'honneur de voir *L'Amérique* au nombre des finalistes du Prix littéraire du *Journal de Montréal*. En 1999, le poète reçoit le Prix du Conseil des arts et des lettres du Québec pour la création artistique en région (Lanaudière) et, en 2001, le prix hommage Desjardins de la culture de Lanaudière. Il est aussi finaliste, en novembre 2002, pour le prix Alain-Grandbois décerné par l'Académie des lettres du Québec pour son recueil *Les versets amoureux* publié aux Écrits des Forges.

ENTREVUE AVEC JEAN-PAUL DAOUST

La société et la culture américaines sont des thèmes qu'abordent déjà certaines de vos œuvres antérieures à L'Amérique. *D'où vient cet intérêt?*

Je suis natif de Valleyfield. J'ai perdu mon père à l'âge de 11 ans, et la sœur de ma mère, Aldora Beausoleil, et mon oncle, Claude Thorpe, n'ayant pas d'enfants, ont décidé de me prendre en charge. Ils avaient un grand bar dans le nord du Michigan, appelé le *Sand Bar*. À partir de douze ans, j'ai découvert le Michigan et ses grandes villes, comme Detroit, Saginaw, et l'Amérique profonde, quotidienne. Quand vous passez votre été et vos vacances de Noël dans un bar américain et que vous revenez ensuite faire votre cours classique et apprendre, avec des prêtres, le latin et le grec ancien par exemple, il y a tout un décalage. Très jeune, j'ai aussi découvert New York, la Californie, la Floride, et bien d'autres endroits. Ces voyages-là m'ont marqué. Et je me suis rendu compte que nous étions, nous, les Québécois, des Américains qui parlions français.

De plus, je suis entré dans la littérature par le mouvement de la contre-culture en participant à des revues comme *Hobo-Québec* et aux Éditions Cul Q (pour « culture québécoise »).

Là, j'ai découvert tout un univers littéraire animé par Denis Vanier, Josée Yvon, Lucien Francoeur, Claude Beausoleil, Yolande Villemaire, Paul Chamberland, Alain Fisette, Jean-Marc Desgent et plusieurs autres. Or ce mouvement venait des États-Unis dont les têtes d'affiche étaient Burroughs, Ferlinghetti, Kerouac, Ginsberg… Physiquement et mentalement, j'ai été imprégné par l'Amérique, Amérique dans le sens de USA. Car, après j'ai découvert l'Amérique centrale et l'Amérique du Sud, mais ça, c'est une autre histoire.

Quelles circonstances entourent l'écriture de L'Amérique *?*

Je faisais une thèse en création pour mon doctorat à l'Université de Sherbrooke et j'avais ramassé suffisamment de matériel pour me lancer dans cette aventure d'écrire *L'Amérique.* Quand je parle de matériel, je veux dire des centaines de citations, de statistiques touchant la société américaine. Ces références m'ont servi de tremplin pour faire le poème, pour écrire des images venant justement du concret. Nous sommes tous et toutes obsédé(e)s par l'Amérique, consciemment ou non, ici comme ailleurs. Je voulais faire un poème épique à la démesure de ce continent excessif, qu'il devienne lui-même une fresque éclatée, calquée sur cette Amérique du Nord enviée et huée par le monde entier. J'ai passé presque dix ans à ramasser des statistiques, des chiffres, pour bien ancrer le poème dans le réel. Je voulais que ces citations fassent partie intégrante de l'écriture poétique. C'était un défi important à relever. Et de plus, à travers toute cette démarche, je souhaitais évidemment donner ma vision personnelle de ce continent que je connais bien pour l'avoir visité si jeune, et surtout si souvent. Vous savez, j'ai vu New York du haut des airs quand j'avais onze ans lors d'un voyage privé dans l'avion d'un de mes grands-oncles qui habitait Springfield, Massachusetts. Cette vision m'a marqué pour la vie. Je me suis juré qu'un jour j'habiterais cette ville. C'est ce que j'ai fait d'ailleurs en occupant le studio du Québec à New York dans les années quatre-vingt-dix. En fait, *L'Amérique* se veut un poème qu'on puisse habiter.

L'Amérique *développe une critique de la société américaine : n'est-ce pas aussi un hommage ?*

Vous avez raison. C'est attraction/répulsion. La démesure de sa richesse et de sa pauvreté, l'écart entre sa liberté et ses lois parfois incroyables, la divergence entre son industrie pornographique et celle de Walt Disney… Bref, ce ne sont pas les exemples qui manquent. Tout cela est à la fois fascinant et terrifiant. Les USA font la loi partout sur le globe. Mais derrière cette image de star se cachent plus d'un malheur, plus d'une détresse. Les stars mythiques comme Marilyn, Elvis l'ont bien montré. Et on pourrait en citer combien d'autres dans divers domaines. Il y a quelque chose d'inquiétant en Amérique. Son arrogance suscite la haine. On n'a qu'à penser aux événements du 11 septembre. Mais sa générosité aussi est parfois désarmante. L'Amérique semble si naïve : « pourquoi nous haïssent-ils tant ? » les ai-je si souvent entendu dire. Ils sont si sûrs d'eux-mêmes, et pourtant, on dirait des enfants jouant avec la planète. Or les enfants sont souvent dangereux, plus d'un animal en garde les séquelles. Comme l'Amérique a des moyens tout-puissants, c'est un peu angoissant. Quand vous pensez que, avant d'être élu, le président actuel, George W. Bush, n'était jamais sorti du pays, et pourtant il vient d'une famille riche, ça en est renversant. L'audace des USA, sa créativité sont stimulantes, et son hégémonie, son orgueil sont démesurés. Il y a le meilleur comme le pire en Amérique. Les journaux, la télé, le cinéma débordent d'exemples.

La difficulté d'exprimer sa marginalité, n'est-ce pas là un thème sous-jacent de L'Amérique *?*

Exact. Car l'Amérique, malgré ses excès de libertinage (pornographie, vies scandaleuses des stars dont la population se repaît, *talk-shows* souvent osés, etc.), reste profondément puritaine. Il est très difficile d'affirmer, par exemple, son homosexualité en dehors des grandes villes. Et même là, c'est marginalisé dans des quartiers spécifiques. Prenez, par exemple, cet organisateur mormon qui, aux Jeux olympiques d'Atlanta, déclarait que chez eux il n'y avait pas d'homosexuels. Ou, au Texas, comment on peut faire la chasse aux gays. Bref, les exemples pullulent. L'intolérance est évidente aussi vis-à-vis des Noirs, et maintenant des islamiques. Même une mère célibataire peut être mal vue. On demande en Amérique aux hommes politiques de mener une vie sans tache, sans reproche, alors qu'on sait très bien que ce n'est que du camouflage. L'Amérique a peur de regarder ses fantasmes de face. C'est pourquoi son cinéma est si important, et là encore les thèmes marginaux sont exploités avec doigté pour ne pas effrayer les bons (*sic*!) Américains. Prenez ces démonstrations contre l'avortement, ou ces débordements religieux dans des stades archi-bondés. Des Amish à Marilyn Monroe vous avez tout un programme. Ce n'est pas pour rien qu'on a refusé à l'émission télévisée d'Ed Sullivan (*show* de music-hall très populaire dans les années soixante) de montrer les déhanchements d'Elvis Presley. Et ça continue. La chasse aux sorcières, c'est-à-dire à tous ceux et celles qui ne sont pas dans les rangs, fonctionne toujours. L'Amérique aime caricaturer, cela la rassure. D'où les stéréotypes qui l'étouffent. Son côté marginal a toujours été pénalisé. Ce n'est pas pour rien non plus que Jim Morrison s'est exilé à Paris pour prouver à son pays qu'il était d'abord un poète qui ne pouvait l'être chez lui. Quoi qu'on en dise, quoi qu'on en pense, l'Amérique est un pays de principes, et si vous y dérogez, c'est à vos risques et périls… assurés !

Pourquoi les références au cinéma et à la chanson abondent-elles dans votre poème ?

C'est très simple : on pourrait décrire l'histoire de l'Amérique à travers son cinéma et ses chansons qui dominent le monde, comme elle le domine politiquement et économiquement. Dans son cinéma, elle a réécrit toutes les époques, de la Genèse au futur. Et évidemment elle a inventé ses mythes : le western, les gangsters et les stars devenues les nouvelles divinités. Que serait l'Amérique sans son cinéma ? Impensable. Et c'est pareil pour sa musique. Ses « musicals » ont changé la façon de chanter, de danser. L'Amérique a inventé des danses nouvelles, a fait *swinguer* la planète — charleston, swing, rap, rock'n'roll — et récupéré les rythmes latinos, africains à travers le jazz. L'Amérique a pigé partout et s'est approprié, à cause des moyens colossaux qu'elle a, plein de rythmes venus d'ailleurs. Ce qui ne l'a pas empêchée de créer ses propres chefs-d'œuvre, qui par la suite ont été copiés à leur tour. Et ses dessins animés, ses parcs de Walt Disney qui envahissent la planète, tout comme ses

McDonald's envahissent les estomacs. Je défie n'importe qui sur la planète de ne pas connaître la mélodie d'une chanson américaine ou le titre d'un film américain. C'est impossible. Comme le Coke, cette culture-là traîne jusque dans la jungle. Alors imaginez comment notre inconscient est colonisé. Donc je ne pouvais passer à côté de ces deux moyens d'expression qu'elle a si bien (et parfois si mal) travaillés.

Au *Sand Bar* dans le Michigan, où j'ai en partie vécu, n'est-ce pas, la musique faisait partie de la vie. Il y avait une chanteuse au « piano bar » qui animait le cinq à sept, qui dégénérait souvent en cinq à neuf… et l'orchestre arrivait, prenant le relais jusqu'à deux heures du matin, et ce, tous les jours, tous les soirs de la semaine. Imaginez ce qui pouvait se passer dans les hôtels des grandes villes. De toute façon, le juke-box était partout. Donc les références au cinéma et à la chanson viennent aussi souligner, dans ce poème, le quotidien américain car, sans eux, l'Amérique ne serait pas ce qu'elle est.

Comment voyez-vous les Québécois dans leur rapport à la société américaine ? Et les touristes québécois en Floride ?

Au début du siècle, un million et demi de la population québécoise s'est exilée aux États-Unis pour essayer d'améliorer son sort. Jack Kerouac, comme Madonna par sa mère, sont de descendance québécoise. Dans le bottin du Michigan, il y a plein de noms québécois qu'on prononce à l'américaine, comme Dion, Pilon, Chouinard, etc. Dans la famille de ma mère, ils étaient onze enfants, dont sept ont survécu. Sur ces sept, quatre sont partis aux États-

Unis. J'ai dédicacé *L'Amérique* à Aldora et Adrienne Beausoleil, ma tante et ma mère car, plus tard, comme ma tante, ma mère, à l'âge de quarante ans, s'est elle aussi exilée aux États-Unis où elle a épousé un Américain, puis a divorcé. Ceux qui sont partis, dans ma famille en tout cas, ont tous mené une vie meilleure économiquement parlant. *The American Way of Life*, c'est un autre mythe américain bien ancré, mais qui provient de la réalité, car en Amérique, c'est en partie vrai, tout est possible. Quand ma tante venait nous voir à Valleyfield au volant de sa rutilante Cadillac décapotable dans les années cinquante et soixante, elle virait la petite ville de Valleyfield (dont elle était native) à l'envers, et elle en était fière. Les Québécois ont toujours été à la fois fascinés et méfiants envers l'Amérique qui a assimilé un tiers de notre population. Ah ! si tous ces exilés avaient vécu ici, nous serions plus nombreux, donc plus forts. Mais inutile d'être nostalgiques. De toute façon, l'Amérique absorbait le monde entier et elle continue de le fasciner. En définitive, d'ailleurs, le Québécois moyen a toujours eu un penchant favorable pour les USA. On le retrouve à Plattsburg pour « shopper », à Cape Cod pour se baigner et en Floride pour se « retraiter ». Tout ceci est boudé par les intellectuels, évidemment. Les États-Unis sont toujours restés populaires auprès du peuple québécois. Et l'attaque terroriste, dont New York a été victime, a touché vivement les Québécois qui se sont sentis, d'une certaine façon, attaqués eux aussi. Car, à Pâques, combien de milliers de Québécois envahissent cette ville unique ? « They're back » titrait un tabloïd américain en Floride en montrant un couple quétaine : lui, en grosse bedaine ; elle, dans un affreux costume de bain. Voilà comment parfois on est perçu. Ce n'est pas pour rien que notre chanteuse la plus connue, Céline Dion, a son château en Floride. Elle aurait pu choisir la Provence, ou l'île Moustique. Même d'ici, on trouve ça *cheap*. On pense aux chanteurs et chanteuses de charme (des *has been*) qui y donnent des spectacles à guichets fermés. Je suis allé souvent en Floride, et je préfère la côte Ouest à la côte Est. Si vous allez à Hollywood Florida, vous vous retrouverez dans un Brossard tropical. Tant mieux pour ceux et celles qui aiment ça. Moi, ça me déprime. Je ne veux pas être snob, mais j'aime bien voyager pour être un peu dépaysé, pour être surpris, pour apprendre ! Alors les *snowbirds* en Floride, souvent tassés dans un parc de roulottes… (Je le sais, ma mère en a déjà loué quelques-unes !!!) Pas capable ! Et pourtant, comme ils sont heureux quand ils savent qu'il fait -20° au Québec. Sans commentaires.

Quelles particularités formelles (disposition des mots sur la page, rythme, sonorités, etc.) votre écriture a-t-elle privilégiées dans L'Amérique *?*

Vous voyez que le sous-titre est « poème en cinémascope ». C'est pourquoi il y a deux barres noires, au haut et au bas de la page, comme un film en cinémascope (*widescreen*) passant sur votre écran de télévision. Les mots envahissent toute la page pour montrer la démesure de l'Amérique, l'espace incroyable qu'on a, lequel fait l'envie du monde entier. Donc les mots se promènent partout, il n'y a pas de marge, car l'idée derrière le procédé est que l'œil saisisse d'abord le texte avant que les neurones ne le lisent et ne l'assimilent. Je veux dire par là que les mots papillonnent partout sur la page, qu'on peut en saisir quelques-uns qui font sens avant de les intégrer dans la phrase qui se trouve déconstruite visuellement parlant. Autrement dit, le poème ne s'arrête jamais, et chaque espace entre les mots a été rigoureusement calculé. Faites l'essai et vous verrez que vous pouvez lire le poème de plusieurs façons : à l'horizontale, à la verticale, en diagonale. Je ne veux pas dire que ça marche à tout coup, mais chaque fois vous serez surpris de découvrir une autre image inventée par votre lecture qui se laisse emporter par le flux des mots.

C'est un rythme très jazz où les improvisations se juxtaposent et finissent par se mêler à la mélodie de base, dont le mot-clé, L'AMÉRIQUE/AMERICA, revient sans cesse. Une sorte de mantra qui devient obsessionnel et qui veut faire comprendre combien « *l'Amérique nous habite tous et toutes jusqu'au vertige de la faute* » (vers tiré du texte).

L'absence de ponctuation rend le texte encore plus éclaté, plus essoufflant. Lisez-le à voix haute, et vous êtes emporté. J'ai voulu créer une sorte de transe qui vous fait sentir le rythme endiablé de l'Amérique. Il n'y a pas de début ni de fin. « *No ending* ». Et je voulais que ça passe dans la forme même que j'ai spécialement créée dans ce poème épique. C'est une fresque continue, qui bouge sans cesse, car tous ces mots envahissent la page comme des barbares. N'est-ce pas ce que fait l'Amérique avec la planète ? Je voulais créer une sorte de vertige pour ensorceler le lecteur, l'hypnotiser, afin qu'il ne puisse s'arrêter. Comme l'Amérique. Que l'écriture puisse réussir ce tour de force et faire en mots une fresque hallucinante ? Que j'y aie réussi ou échoué ? À vous de le décider.

L'ŒUVRE ÉTUDIÉE

LA GENÈSE DE *L'AMÉRIQUE*

Le projet d'écrire un poème sur l'Amérique est né après l'écriture des *Cendres bleues*. Cette œuvre, en grande partie autobiographique, avait beaucoup exigé de son auteur qui avait dû replonger comme jamais auparavant dans l'univers trouble de sa petite enfance. Plus d'un souvenir douloureux était remonté à la surface et le poète était sorti rompu de l'expérience. Il cherchait maintenant à créer une œuvre moins douloureuse et plus ouverte sur le monde.

En 1990, peu après la publication des *Cendres bleues*, Jean-Paul Daoust s'inscrit au doctorat en création de l'Université de Sherbrooke. Pendant sa scolarité, il collige une masse impressionnante de statistiques, de documents et de renseignements sur les États-Unis et, sous la direction de Joseph Bonenfant, il développe l'idée d'un poème épique, fait à partir des matériaux amassés, dont la forme « en cinémascope » collerait au plus près du sujet en évitant si possible le recours à une subjectivité étroite et aux aléas de l'humeur. Dès le départ, l'écriture se voit donc bridée par une contrainte non pas négative et asséchante, mais, au contraire, productrice d'un sens plus large, d'une expérience d'écriture exaltante.

L'écriture du poème s'échelonne sur plusieurs mois. L'acte de création n'est pas simple, le plus difficile étant de conserver un rapport serré entre l'œuvre et la réalité par de constants appels aux statistiques et aux informations « objectives », tout en ne versant pas dans l'aridité de simples énumérations. Daoust veut présenter une vision « panoramique » (ou épique) de la civilisation américaine, mais en conservant un mouvement interne à l'œuvre. Le poème doit s'offrir comme une table couverte de plats et de fruits, où le lecteur choisira ce qu'il voudra pour alimenter ses propres réflexions à l'endroit de l'Amérique.

LE PARATEXTE

La dédicace

Le poème est dédié à Adrienne et Aldora, la mère et la tante de l'auteur. Pourquoi aux sœurs Beausoleil et pas à son oncle, Claude Thorpe ? Dans un premier temps, il s'agit de dédier l'œuvre à des Québécoises de souche, nées ici, qui ont vécu aux États-Unis et y ont connu le succès. L'oncle, lui, était d'origine allemande. De plus, il représente aux yeux de l'auteur le conformisme de l'Amérique profonde. Quand les Américains ont marché sur la Lune, son oncle a épinglé un drapeau américain sur un des murs de son établissement et, avec lui, tous ses clients se sont levés pour entonner l'hymne américain. À ce patriotisme exacerbé, l'oncle ajoutait un fort racisme : il faisait attendre à la porte de son établissement les officiers noirs qui voulaient y boire. L'auteur raconte que, plusieurs fois, c'est lui qui est allé chercher les malheureux et qui les a servis, déclenchant ainsi les hostilités avec son oncle propriétaire. La tante Aldora, beaucoup plus ouverte d'esprit et plus libérale[1], ne s'en faisait jamais avec tout cela, et c'est à sa générosité et à sa bonté de cœur que l'auteur veut rendre hommage par la dédicace, car les États-Unis sont aussi faits de ces gens accueillants, moins enracinés dans leurs principes, qui ont rendu bien réelle cette tolérance dont la nation américaine s'est fait une gloire.

La citation en exergue

La citation de Walt Whitman est tirée de la préface[2] de la première édition (1855) de son unique et célèbre recueil de poèmes *Leaves of Grass.* Elle permet de mesurer *L'Amérique* à l'aune de l'esprit visionnaire et foncièrement optimiste présent dans l'œuvre de Whitman, dont le sujet de prédilection est toujours resté la mythologie nationale. Whitman, chantre de la nature et des grands espaces américains, a été un des guides mystiques de la nation ; il voyait l'individualisme et la société démocratique comme des réalités qu'il fallait concilier. Tout imprégnée de cet humanisme de communauté, l'œuvre devient pour le mouvement *beatnik* une référence et Whitman, un phare de la pensée américaine moderne.

---

1. Le poète se moque quand même affectueusement du nombrilisme bien américain de sa tante, page 117.
2. Cette préface vient d'être traduite pour la première fois en français sous le titre *Le poète américain* (Paris, Fayard, coll. « Mille et une nuits », n° 326, 2001).

Whitman parle en bien de l'Amérique parce que l'Amérique de son époque, celle du XIXe siècle, était à se construire. Le poète croit que tout est encore possible et sa voix, singulière, cherche à lui instiller une conscience nouvelle. Le poète a ainsi apporté à l'Amérique une réflexion nuancée sur la place de l'individu dans la société, réflexion selon laquelle tout individu a le devoir de respecter la société et le droit d'y exprimer ses désirs et ses craintes, tout en conservant, sa vie durant, l'espoir de changer le monde. Poète marginal, et se sachant pour cette raison une cible de l'intolérance, Walt Whitman ne s'est jamais contenté, en dépit de cela, de voir le seul côté sombre de la société américaine. Convaincu que l'homme est en mesure d'accepter son prochain, il ne craint pas d'exposer en partie sa marginalité. Son amour et ses désirs pour un autre homme, Whitman les a donc relatés car, pour lui, la société n'est viable qu'en autant que le marginal ose se battre pour y être admis. Whitman voit, dans la tolérance et l'acceptation des différences, toute la force et la grandeur des États-Unis. Cet optimisme et cette foi de Whitman en l'Amérique apparaissent nettement dans les phrases qui précèdent et qui suivent la citation choisie par Jean-Paul Daoust pour ouvrir *L'Amérique* (mise ici en italique) :

> De toutes les nations, quelle que soit l'époque sur la terre, les Américains possèdent sans doute la nature poétique la plus entière. *Les États-Unis eux-mêmes sont par nature le poème le plus grand.* Dans l'histoire de la terre, le plus immense et le plus turbulent semblent dès lors apprivoisés par leur immensité et leur turbulence plus grandes encore. Ici, enfin, quelque chose dans les actions des hommes s'accorde avec le rayonnement des actions du jour et de la nuit. Ici, non seulement

> une nation mais une nation regorgeant de nations. […] Ici, l'hospitalité qui signale à jamais les héros.

Apparaissent ici les thèmes *positifs* du poème de Jean-Paul Daoust : l'immensité et le dynamisme de la nation américaine, une profession de foi à propos de sa supériorité, une confiance absolue en la valeur de l'action de ses citoyens, une valorisation de la communion avec la nature, un cautionnement de la diversité du peuple américain et une glorification de son hospitalité. En somme, le texte original d'où a été tirée la citation en exergue rappelle certaines qualités des femmes auxquelles le poème est dédié.

LA STRUCTURE

Une structure fondée sur la répétition

L'Amérique semble écrit d'un jet. Du premier au 3 355e vers, le lecteur est happé par ce long poème dont il ne s'échappera que difficilement, emporté dans une course folle par son mouvement fluide et sa mélopée que ponctuent régulièrement deux mots en majuscules : L'AMÉRIQUE et AMERICA.

Au plan graphique, L'AMÉRIQUE et AMERICA attirent l'œil et rappellent que la culture américaine possède un irrésistible pouvoir d'attraction. Ces mots géants dominent tous les autres comme la société américaine domine toutes les autres sociétés. Réitérant le sujet du poème, ils confèrent aussi un effet hypnotique, voire incantatoire, à l'œuvre.

L'AMÉRIQUE est répété exactement 397 fois[3] (parfois sans son déterminant). C'est dire combien le mot scande le rythme du poème. Deux fois sur trois, L'AMÉRIQUE est inscrit près de la marge, à gauche, comme premier ou deuxième mot du vers (dans 260 cas sur 397). À cet endroit, L'AMÉRIQUE se révèle souvent le sujet de la phrase et, à ce titre, il relance constamment le discours. Dans les cas où sa position près de la marge ne fait pas de lui le sujet, c'est qu'il constitue un rejet[4] par rapport au vers précédent auquel il donne un sens conclusif (v. 1 884 par exemple). Parfois, le poète joue aussi sur l'ambivalence de sa position : L'AMÉRIQUE peut être à la fois un rejet du vers précédent et un complément placé en tête de phrase pour le vers courant (v. 2 964). Le mot offre ainsi un jalon, un relais au déploiement du discours.

Le mot AMERICA, lui, apparaît 45 fois. Dans bien des cas, il a le même sens que L'AMÉRIQUE, car il est simplement utilisé en lieu et place de ce dernier dans des phrases en anglais. Le recours à la langue anglaise, utile à l'évocation de la culture des États-Unis, devient obligatoire quand il s'agit de reproduire un slogan, une phrase idiomatique ou un lieu commun du langage américain (à cet égard, on mesurera combien leur traduction, offerte dans les notes à la suite du poème, affaiblit souvent, quand elle ne rend pas ridicule,

3. Quatre cents fois, si on ajoute le titre répété trois fois : sur la couverture, la page de garde et la page de titre.
4. En poésie, le rejet est la partie de la phrase qui est rejetée à la ligne suivante. Le contre-rejet est le début d'une phrase, placé à la fin d'un vers, qui se poursuit sur un ou plusieurs vers.

le sens de la phrase originale). Ailleurs, la principale fonction de AMERICA est de délimiter les parties du poème : il y est utilisé graphiquement. Le poème répète AMERICA sur une ligne et trace ainsi une sorte de frontière, une démarcation entre les parties de l'œuvre. De l'aveu même de l'auteur, cet usage graphique du mot AMERICA lui servait, pendant l'écriture, à passer d'un sujet à un autre. En somme, les « frontières » AMERICA sont comme les noirs ou les fondus enchaînés d'un film.

Les articulations du poème

Malgré une absence de sous-titres ou de numérotation, le poème *L'Amérique* se divise en huit parties : la première constitue l'ouverture ; la dernière, une sorte de conclusion ouverte. Les parties sont délimitées par sept « frontières » AMERICA aux pages 34, 52, 56, 66, 85, 92 et 181.

La première partie de *L'Amérique* compte 420 vers. Elle se termine à la page 33 (la « frontière » répète trois fois le mot AMERICA en tête de la page 34). Ce début rappelle une ouverture d'opéra[5]. Dès la première page, l'Amérique se trouve géographiquement introduite par la mention de lieux (Los Angeles, New York, Grand Canyon, Texas) particulièrement significatifs et correspondant aux quatre grandes régions des États-Unis : la côte Ouest, la

5. En musique, une ouverture est une composition de durée moyenne qui précède habituellement une œuvre lyrique : opéra, cantate, oratorio.

Nouvelle-Angleterre, le Centre (ou Mid-West) et le Sud. De plus, le poème situe l'Amérique dans une historicité, en établissant un lien entre d'anciennes civilisations dominantes et celle des États-Unis : dans « les stars momifiées dans leurs parures d'or » (v. 18), *star* renvoie à la culture américaine d'Hollywood et *momifiées*, à l'Égypte pharaonique ; la star et la momie connotant toutes deux l'immortalité (selon des registres différents). Dans cette « ouverture », le propos souligne aussi l'influence de l'Amérique dans nos vies, « on connaît davantage leur vie que la nôtre » (v. 19), et mentionne des symboles mythiques (cow-boy, v. 11) ou publicitaires (Pepsi, American Express, v. 20-21) incontestables de l'américanité. On remarquera que les statistiques sont à peu près absentes de cette « ouverture ». Comme dans une ouverture d'opéra, il ne s'agit pas de développer le récit ou de le raconter, mais d'en donner un aperçu. Dans cette première partie, le poème est au stade de la présentation de l'Amérique et des divers thèmes et sujets qui lui sont associés et qui seront développés dans les parties suivantes. Pepsi, par exemple, simplement mentionné au vers 20, revient plus loin, aux pages 127 à 130 : il devient alors, avec son rival Coke, l'objet d'un discours fouillé utilisant force statistiques, informations, anecdotes amusantes et constats absurdes.

Dans la deuxième partie, des vers 424 à 790, le poème s'attache principalement à la gloire et à la célébrité. Après avoir souligné le renom de l'Amérique auprès des autres pays (« AMERICA AMERICA AMERICA/chantent en chœur les pays de la planète »), le poème offre un survol de tout ce qui a concouru à sa gloire dans les domaines de la culture et de la politique, et de tous ces événements sociaux qui ont attiré l'attention sur elle lorsqu'ils ont été couverts par les réseaux d'information (CNN est cité à la page 35). À cet égard, la liste des « courses », donnée aux pages 35-36, se révèle significative puisqu'elle se termine par ces deux vers : « tout le monde veut être au top/de L'AMÉRIQUE » (v. 462-463).

La troisième partie, la plus courte de l'œuvre (moins de cent vers, du 794e au 862e) rend hommage à la féerie mythique de l'Amérique. Elle s'ouvre sur Elizabeth Taylor et Michael Jackson et se poursuit avec Hollywood et Malibu, Marilyn et les beaux cowboys. Elle évoque aussi les grands espaces américains « from L.A. to N.Y. » (v. 853), tout en laissant percer une pointe satirique, car cette féerie est quand même calculatrice et avide du gain (« où chaque minute on additionne même si on soustrait » — v. 860). Malgré tout, le poème conclut que l'illusion demeure, car « AMERICA is the land of Discovery » (v. 862).

La quatrième partie couvre les vers 866 à 1 068. Elle offre un pendant sombre à la précédente, plus enjouée, car elle traite surtout de la mort sous toutes ses formes : décadence, pourriture, agonie, décès, apocalypse. La partie débute par le mot « litanie » et s'achève par « death », ce qui la résume assez bien. Un seul ton, monocorde, y règne du début à la fin.

La cinquième partie, qui s'étend des vers 1 072 à 1 440, se concentre sur le pouvoir de l'argent. C'est, de loin, le passage le plus satirique du poème. Elle s'amorce d'ailleurs par une question et une réponse, liées à la sombre quatrième partie dont l'humour est noir à souhait : « mais comment acheter la mort ?/se demande L'AMÉRIQUE/acheter c'est tuer dit L'AMÉRIQUE/en ricanant » (v. 1 072-1 075). Elle se poursuit par une évocation du jeu télévisé *The Price is Right* avec Barbies, sofas, laveuses, voitures et bouches chargées de dents. L'Amérique, royaume du pouvoir de l'argent, sonne parfois si clinquant ! Elle n'en exerce pas moins son tout-puissant ascendant sur les êtres et les choses. Par exemple, John Rockefeller (1839-1937), le célèbre milliardaire américain qui vécut presque cent ans, est mentionné à la page 67 et opposé au dieu de la mort, Thanatos. Un des plus indéracinables mythes américains reste bien celui que l'argent a le pouvoir de défier la mort, bien que celle-ci mine perpétuellement dans sa force et ses capacités. Plus loin, le poète se rappelle que l'argent a un pouvoir d'attraction auprès des Québécois qui se précipitent en Floride dès qu'ils en ont un peu ; c'est l'occasion d'un passage au ton satirique particulièrement virulent (page 69). Dans la cinquième partie, le mot AMÉRIQUE disparaît pendant des pages entières. On compte seulement quatorze occurrences du mot et deux du mot AMERICA (si on ne tient pas compte des « frontières »). Comment expliquer cette relative absence ? Est-ce dire que l'Amérique, c'est l'argent ? Que nommer l'un, c'est évoquer l'autre ? À bien lire la partie, on comprend plutôt que, pour nier la mort, un perpétuel air de vacances et de fête s'inscrit dans cette nation grâce au pouvoir de l'argent. Vivre dans l'opulence, exercer son pouvoir d'achat et s'amuser (la négation de l'ennui), voilà ce que l'argent oppose à la mort. À la page 69, le vers « des Québécois en vacances » (v. 1 122) prélude à un vaste champ lexical tout empreint des joies de la plage, de la mer et des loisirs. Bien sûr, ici et là, le satiriste ne peut s'empêcher de souligner un ridicule ou d'accuser un trait comique, mais le segment demeure serein, rendant le thème funèbre d'autant plus inquiétant lorsqu'il rejaillit avec force, à la page 83, dans les apocalyptiques vers 1 406 à 1 407 (« L'AMÉRIQUE disparaîtra dans un bain de feu et de sang/no one will survive »), aussitôt tempéré par le vers suivant (« disent les prophéties ») qui, en en faisant un propos subjectif, le rend contestable, voire douteux et lointain. Pourtant, la mort existe et, tout comme bien des civilisations disparues, l'Amérique en porte les traces (« là gisent des empreintes/de deux cents millions d'années/des fossiles/de cinq cents millions d'années/et tout au fond des traces/de deux milliards d'années » — v. 1 413-1 418). Toutefois, l'Amérique est bien jeune (« mais ce pays n'est encore qu'un bébé » — v. 1 403) et sa plus grande menace reste peut-être elle-même (« où en 1981 il y a eu autant de Noirs assassinés/que d'Américains au Viêt-Nam en douze ans/et ces chiffres ont triplé/entre 1985 et 1990 » — v. 1 437-1 440).

La sixième partie (v. 1 444-1 587) développe le thème de la nation infantile (ce qui, paradoxalement, donne l'impression qu'elle n'est pas dangereuse et la rend même irrésistiblement adorable). Le poème expose les problèmes de la violence, du désir et du sexe dans une société qui manque de maturité. Car l'Amérique semble s'étonner elle-même de « son gigantisme/son ironie/sa pudeur/d'un appétit à la démesure/de son inconscient » (v. 1 528-1 532). L'Amérique, hormis ces « momies hollywoodiennes » (v. 1 461) et les milliers d'Américains morts « en état de légitime défense » (v. 1 471), en est toujours à vouloir rester enfant coûte que coûte. C'est son syndrome de la bande dessinée (« de Lichtenstein » — v. 1 517) qui la pousse à remâcher du « bubble gum » (v. 1 518), c'est-à-dire des insanités d'enfants promues au rang de « bible nouvelle » (v. 1 519) et que redisent à satiété les « bouches jeunes/de ses Lolita » (v. 1 520-1 521). Celui qui aurait une parole plus sérieuse, le poète par exemple, ne peut donc manquer d'être incompris et ridiculisé. En Amérique, dites que vous êtes poète et « King Kong rit à s'en électrocuter » (v. 1 537). Car « L'AMÉRIQUE a des yeux d'enfant unique » (v. 1 573). Elle exige toujours « quelque chose de nouveau » (v. 1 582) « pourvu que la cote d'écoute grimpe » (v. 1 586), c'est-à-dire pourvu que ce soit rentable.

Des vers 1 591 à 3 352, la longue septième partie constitue un élargissement dans le développement de tous les thèmes déjà traités dans les précédentes parties du poème : gloire, mythologie, mort, argent, infantilisme. Ils sont tous ici repris et associés les uns aux autres dans une structure où les rappels, les analogies et les oppositions tissent un réseau complexe de sens. Le poème s'intéresse aux réussites et aux victoires américaines (découvertes scientifiques, puissance et attraction de l'industrie, de la culture et de la politique américaines) autant qu'aux maux et aux horreurs de l'Amérique (la violence, la drogue, le sexe, le suicide, etc.) et il en fait état à coups de statistiques et d'informations qu'il se plaît à mettre en opposition. Ainsi, dans un discours entremêlé de hauts faits politiques et de références aux *hits* culturels, défilent, au cœur même de la vie américaine « Elvis en effigie sur un timbre » (v. 1 598), « un pourcentage élevé de mâles/[qui] sont des éjaculateurs précoces » (v. 1 634-1 635), « le plus grand centre de désintoxication au monde » (v. 1 685) et « l'épidémie du crack/ou extasy » (v. 1 686-1 687), etc. Le lecteur est ainsi mis au fait de la grandeur et de la décadence de la civilisation américaine. En outre, dans le plus pur esprit américain, le poème prend soin de mettre côte à côte les aspects les plus disparates de la culture des États-Unis : aux pages 105 et 106, il est fait mention d'Al Capone, du film *Jaws* de Steven Spielberg, du grand écrivain Ernest Hemingway, du *Moby Dick* de Melville, des nombreux prix Nobel remportés, d'Elvis (encore !) et… du colonel Sanders et de son poulet frit à la Kentucky qui se retrouve donc « voisin » de l'écrivain Hemingway. Un peu plus loin, à la page 108, Broadway côtoie le Main Shaft de Greenwich Village, Las Vegas et Howard Hughes ! C'est que l'Amérique tout entière se trouve dans ces contrastes saisissants, fascinants et… débiles. Oui, « l'AMÉRIQUE a gagné plus de 140 prix Nobel en sciences » (v. 1 974), mais elle refuse à ses pauvres « le droit de dormir sous les ponts » (v. 1 959).

Dans la septième partie, les statistiques et les informations ancrent le poème dans la réalité. Elles rendent compte de faits et d'événements qui touchent à tous les aspects de la civilisation de l'Amérique. En faire une énumération complète reviendrait à citer la partie entière, page après page.

À la « frontière » très serrée de six AMERICA succède la dernière partie très succincte du poème qui tient en un seul vers : « no ending » (v. 3 355). Les deux mots, inscrits aux extrêmes gauche et droite de la ligne, offrent une conclusion « ouverte », car l'Amérique ne saurait avoir de fin. L'auteur déroge ici à l'attitude courante des intellectuels québécois sur la fin proche, sur le déclin de l'empire américain. Pour Daoust, l'Amérique renaît constamment de ses cendres, pour le meilleur et pour le pire, comme si était perpétuellement projeté son film en cinémascope. *L'Amérique* ne saurait être un poème apocalyptique. La civilisation américaine n'est pas sur le point de tomber en ruine ou d'être punie pour ses péchés. À cet égard, le poème n'est ni moralisateur ni vengeur.

LES THÈMES

Grandeurs et décadences de l'Amérique

Chaque page de *L'Amérique* possède une marque d'américanité, puisque c'est là son thème privilégié, voire exclusif : il peut s'agir d'une référence culturelle, politique, industrielle ou publicitaire. On retrouve, bien entendu, tous les éléments classiques de l'américanité, de l'évocation des grands espaces au *self-made man*, en passant par le pouvoir de l'argent, la notion de liberté, la nécessité du travail et de la réussite. Ce qui se dégage toutefois du poème de Jean-Paul Daoust, c'est qu'il ne se limite ni à reproduire ni à démolir les mythes de l'Amérique. Il répugne à la reprise d'un mythe sans un apport critique, mais il ne verse pas non plus dans le brutal et insignifiant rejet en bloc de la société américaine. Il oscille plutôt entre l'enthousiasme et l'amertume. Il ironise au moment même où il tempère et remet en perspective. Le poème est capable d'admiration devant « New York New York/ses buildings/des fontaines pastel dans la nuit » (v. 2 190-2 192), mais il ne peut rester béat devant le mensonge, la sottise ou les maux (« New York se mire dans l'eau bafouée de l'Hudson » — v. 3 298) accolés aux mythes de cette société souvent conformiste.

Au détour d'une phrase ou d'une page, le rapprochement subit de splendeurs et d'horreurs crée un choc. Cependant, lors d'une première lecture[6] de l'œuvre, ce sont les horreurs qui retiennent l'attention et non les splendeurs (ce qui en dit long sur l'intérêt des lecteurs pour le morbide). Pourtant, une relecture met en évidence que ce poème en est aussi un d'amour et de fascination envers l'Amérique. Pour le poète, l'Amérique est aussi extraordinaire qu'horrible. Si elle n'était qu'horreurs, conserverait-elle son pouvoir de séduction ? Aucune société — à commencer par la nôtre, celle du Québec — ne peut se détacher de son engouement pour l'Amérique. Il ne s'agit pas ici de le nier ou de combattre cet état des choses, mais de le constater. Ni apologie béate ni pamphlet haineux, *L'Amérique* tente de trouver l'équilibre entre ces deux extrêmes par un regard critique : il s'agit d'évoquer ce qu'est et ce qui rend telle qu'elle est cette « AMÉRIQUE incomparable » (v. 2 819).

La culture peut permettre d'illustrer avec plus de précision cette fascination/haine du poème de Daoust envers l'Amérique et, plus précisément, les propos tenus sur le cinéma et la télévision. Si les stars, la célébrité, la richesse et la pornographie sont les côtés moins glorieux du cinéma, parce que l'artiste y perd son humanité, la liste fort longue des films cités rend hommage en bout de ligne au septième art. Par contre, la télévision, « Cyclope

6. Lors de lectures publiques aux États-Unis, à New York ou Tucson, Texas, Jean-Paul Daoust fut souvent pris à partie par des Américains qui lui reprochaient de ne pas aimer l'Amérique ou d'en donner une image noircie sciemment. Pourtant, ce ne fut jamais le projet de l'auteur.

insipide» (v. 478), est décriée et considérée comme le principal agent de l'illusion et de la bêtise ; elle réussit à éteindre les aspirations les plus simples et les plus humaines des individus.

Les grands espaces

Dans *L'Amérique*, les grands espaces, bien qu'ils soient appréciés et valorisés, sont aussi critiqués parce qu'ils suscitent la vitesse et l'omniprésence de l'automobile et des autoroutes autour des grandes cités telle Los Angeles dont «l'image de [...] pieuvre semble réaliste» (v. 4). Plus loin, les grands espaces créent des lieux de culture isolés les uns des autres. Aux deux extrémités des États-Unis, la culture a pignon sur rue («from coast to coast/Broadway Hollywood Boulevard» — v. 151-152). Or c'est parce que, comme pour tout en Amérique, ce grand marché de la culture «vend tout le temps» (v. 153). Le mercantilisme de l'activité artistique américaine se révèle une observation — hélas ! — trop juste.

Plus loin, le mythe des grands espaces est repris pour permettre au poète de se moquer de l'imaginaire québécois dont «les yeux s'allument comme des plages blanches/côte Ouest/des plages dorées/côte Est» (v. 1 131-1 134). Le vaste territoire est malgré cela une invitation à l'aventure par la possibilité de l'explorer selon ses goûts et ses affinités puisque se trouvent «tout au bout/the keys/comme des points de suspension/dans l'éternité de la mer où continue/L'AMÉRIQUE» (v. 1 284-1 287). Les grands espaces américains sont donc des lieux de rêves, des lieux à nul autre pareils, sensationnels, évocateurs, où soudain « un touriste voit la villa d'Hemingway » (v. 1 295), en même temps qu'on lui susurre à l'oreille que le coucher de soleil est « the best on the east cost » (v. 1 290).

L'argent et son pouvoir

L'Amérique ne peut manquer d'évoquer la toute-puissance de l'argent dans une société où tout s'apprécie en termes de dollars. Aussi est-ce surtout lorsque ce thème apparaît que se déploie la verve satirique du poème qui met alors en relief le ridicule (inhumain) de cette idolâtrie de l'argent. Le poème étale donc cette richesse clinquante, dont l'orgueil tapageur ne tente trop souvent que de cacher le vide culturel ou la vacuité des sentiments du riche. Le texte évite toutefois les connotations moralisantes : il ne s'agit pas de reconduire le discours chrétien qui déprécie l'argent et le matérialisme, mais plutôt de s'amuser des illusions de bonheur dont il se prétend le garant selon le discours américain conservateur. À l'encontre de ce que ce discours fait miroiter, l'argent n'est pas une panacée : le poème ne manque donc pas de rire au vitriol de cette illusion américaine (voir les pages 72-73).

L'Amérique est le pays de l'argent, de la richesse ; pourtant, dans la réalité, « L'AMÉRIQUE/ quatre mille milliards de déficit/endettement personnel/industriel/social/pourtant chaque année des centaines de milliards/pour la défense de l'Amérique » (v. 2 126-2 131), « mais des dizaines de millions d'Américains ne mangent pas à leur faim/en l'an de grâce 1993 » (v. 2 134-2 135). Si le poème fait état, à de nombreuses reprises, du pouvoir de l'argent qui permet à l'Amérique de réaliser tant de choses, il n'oublie pas la misère qui côtoie la magnificence et souligne que l'incontournable appât du gain reste le moteur de toute entreprise, car «à coups de milliards L'AMÉRIQUE cherche/de nouvelles mises/pour de meilleurs revenus/l'avenir s'annonce incroyablement riche/et les virus sont plus prometteurs/que des puits de pétrole» (v. 960-965).

Le *self-made man*

Le *self-made man*, voilà un mythe au sujet duquel le poème *L'Amérique* est intarissable. «L'AMÉRIQUE le pays du self-made man» affirme-t-il dès la page 30 (v. 344), mais pour ajouter immédiatement une opposition ironique: l'Amérique est la nation «où il y a plus de dix millions de mâles impuissants/sexuellement/de femmes?/on a dit que Marilyn était frigide» (v. 345-348). Si le poème célèbre ces gens exceptionnels qui ont su s'enrichir («Madonna partie de Pontiac City/en cinq ans a amassé plus de deux cents millions» — v. 3015-3016), il indique aussi les dangers de cette course à la réussite, même lorsqu'elle atteint son but, car la notion d'utilité dans le travail qu'elle impose à l'individu peut le détruire: «depuis Trafalgar Square en 1897/la première enseigne électrique au monde/inventée par George Eastman/qui disait ceci/vous appuyez sur le bouton/nous faisons le reste/L'AMÉRIQUE a vite compris/et il inventa aussi le mot Kodak/en laissant une fortune et un chat/il se suicidera/en pensant qu'il prend/une ultime photo/de lui-même/une balle au cœur/je ne suis plus d'aucune utilité dira-t-il/il serait superflu de continuer/il a donc appuyé sur le bouton» (v. 2683-2699). En fait, le poème tente de dégager l'être humain derrière le mythe de la star: «star star star/mot mantra de L'AMÉRIQUE/une star se promène sur la grève de

Malibu/et personne ne s'en soucie/sa solitude/puisqu'elle est enfin chez elle/anonyme» (v. 290-296). À l'éclat de la gloire et à la nécessité de la richesse, qui sont l'apanage du *self-made man*, le poème oppose la simple vérité de la personne humaine.

C'est là un des leitmotiv majeurs du poème. Derrière le discours pompeux du rêve américain où se conjuguent la réussite à tout prix et le bonheur de luxe en toc, *L'Amérique* s'attache à renouer avec cet être humain qu'est l'Américain (et, par extension, le Québécois, puisque nous sommes des Américains, selon Jean-Paul Daoust) qui ne vit pas nécessairement dans l'illusion que la culture américaine lui jette constamment au visage comme un reproche. En somme, comme n'importe quelle illusion, la richesse, par exemple, n'est pas un gage de bonheur, car «les milliardaires pourrissent/dans leurs fantasmes» (v. 1606-1607). Ce qui est un gage de bonheur, c'est de vivre selon soi, en revenant à des valeurs à hauteur d'homme et non pas dans un mouvement continuel qui croit nier la mort et le silence. Si «L'AMÉRIQUE/c'est l'habitude ici de se donner/fort bonne conscience avec des mensonges» (v. 2270-2272), de refuser de vieillir et de vivre dans l'illusion, «en AMÉRIQUE quoi de plus facile/que de réorganiser le réel/que de faire semblant» (v. 2587-2589). Le poème de Jean-Paul Daoust, tout en décriant ces leurres, donne raison à ceux qui leur ont tourné le dos: «corps et âme/sacrifiés par le système actuel/qui les a pourtant enfantés/on les regarde/tomber/condamnés à espérer/à en désespérer/d'avoir comme les autres/leur part de lumière/l'optimisme crucifié/sur un bulletin de vote/voilà pourquoi certains Américains ne votent jamais» (v. 2512-2523). Le texte fait donc l'éloge de la marginalité, cet état qui marque sa différence et brise la surface trop lisse, trop parfaite, trop irréelle et inhumaine d'une société idéalisée. Les marginaux, ce sont ceux qui ont flanché, ceux qui font mentir ce bonheur sans partage que le discours américain promet à tous les Américains : « mais en AMÉRIQUE vivent des millions de laissés-pour-compte/mais en AMÉRIQUE vivent des millions de sans-abri » (v. 2 480-2 481) « et la jeunesse américaine se suicide de plus en plus » (v. 2 635). Les difficultés des marginaux à vivre dans cette société ne sont toutefois pas présentées avec lourdeur. Le poème n'appuie jamais sur la dénonciation afin de ne pas tourner au pamphlet politique ou social. Pour cette raison, il arrive même à faire de l'humour au sujet des « victimes » du système : « L'AMÉRIQUE qui veut tellement être aimée/et le cœur/d'un million d'Américains flanche/chaque année/maladies cardiovasculaires qui auront coûté/85,2 milliards en 1987 » (v. 2 593-2 598).

En somme, *L'Amérique*, et c'est là sa force, offre une fresque vivante, spectaculaire, hallucinante, riche et aussi noire que lumineuse de la société américaine. Si sa tonalité satirique se fait parfois grinçante, si certaines images évoquent l'Apocalypse, le poème n'oublie jamais et recherche même l'être humain dans ce monde d'illusions que diffuse la culture américaine. Il tente de retrouver cet Américain, que nous sommes tous, et sans lequel l'Amérique ne serait pas.

L'ÉCRITURE

Un poème jazzé en cinémascope

L'Amérique est un poème visuel. Il s'apparente à la fois à un tableau et à un film. Chaque page se présente un peu comme l'équivalent d'un tableau abstrait, d'un tableau semblable à ce qu'obtenait par la technique du *dripping* le peintre américain Jackson Pollock (1912-1956), mais, au lieu de taches et de coulées de peinture, ce sont ici des mots qui se trouvent répandus sur la page blanche. Dans un premier temps, le lecteur ne saisit pas le sens de ces mots ; il ne capte que les mots eux-mêmes, disséminés sur la page. Toutefois, le poème n'est pas statique comme l'est une toile et rejoint en quelque sorte le mouvement du cinéma. Chaque fois que le lecteur passe à la page suivante, il se retrouve devant une nouvelle composition de mots ; au cinéma, une image chasse la précédente. Dans le poème, à presque toutes les pages, le sujet s'impose par les majuscules (L'AMÉRIQUE/AMERICA) ; dans un film, le spectateur perçoit d'abord le héros dans une image conçue selon un angle et une profondeur de champ susceptibles de le mettre en évidence.

Dans le poème de Jean-Paul Daoust, l'activité « habituelle » de la lecture n'est pas aisée. Bien entendu, le lecteur lit les vers, les uns après les autres, de gauche à droite, et un sens se dégage finalement de cet amas de mots dispersés sur la page. Mais souvent, entre les vers, parfois même entre deux mots d'un même vers, un blanc ménage une plus ou moins large distance. Ces blancs ont trois fonctions. La première est d'ordre visuel : les blancs contribuent, avec les mots, à créer l'aspect pictural (graphique) dont il est question plus haut. Le rendu visuel n'est pas nécessairement horizontal; selon le parcours auquel se livre le regard qui s'y pose, la page peut donner l'impression d'une verticalité, d'un émiettement, voire d'une mosaïque. La deuxième fonction se rattache à la ponctuation: puisque le poème est dénué de tout signe de ponctuation, les blancs les remplacent et déterminent les pauses dans le flot verbal. La troisième fonction, tributaire de la deuxième, est liée au rythme du poème: en obligeant le lecteur à des pauses — ne serait-ce que parce que son œil doit prendre le temps de courir d'un mot à l'autre —, les blancs imposent un rythme qu'on perçoit mieux lors d'une lecture à haute voix de l'œuvre.

Les aspects pictural et musical de *L'Amérique* ne témoignent d'aucune innovation. Depuis la fin du XIXe siècle[7], la poésie s'intéresse à la disposition des mots sur la page. À cette époque, l'apparition de nouveaux rythmes dans la musique occidentale stimule la recherche poétique. Sans entrer dans les détails, il convient de préciser que, contrairement à la musique populaire, le jazz, qui s'est imposé dès le début du XXe siècle, s'en tient rarement à une pulsation rythmique régulière. Le *beat* n'est pas égal mais se livre au contraire à de multiples syncopes. *L'Amérique* tente de reproduire ce type de rythme: par exemple, le vers 1 451, à la page 85, « on imaginera nos amours jet-set », compte onze syllabes. La césure du vers se trouve avant « nos », et le rythme du second hémistiche, « nos amours jet-set », se voit répété dans le vers suivant, « nos corps Cadillac », qui débute d'ailleurs par le même mot, ce qui lui

---

7. La disposition des mots préoccupe le poète symboliste Mallarmé (1842-1898) dans *Un coup de dés jamais n'abolira le hasard* (1897) et, plus tard, Apollinaire (1880-1918) dans *Calligrammes* (1918).

confère une sonorité en écho. Le troisième vers commence lui aussi par « nos ». Toutefois, s'il conserve l'effet d'écho, il ne reprend pas le même rythme, car il compte sept syllabes : « nos regards technicolor ». De même, le quatrième vers modifie encore le rythme avec ses six syllabes : « peints la nuit au laser ». De plus, la sonorité « nos » a disparu et, comme pour marquer ce fait, le vers ne se superpose pas aux autres : il conclut l'énumération et lui donne un sens. Le rythme, fluctuant, donne un effet de ressac, de syncope. Il se prolonge, puis il s'écourte. Au vers suivant, la syncope est interne : la première partie (« et on dira que nos cerveaux étaient ») beaucoup plus étendue, dix syllabes, est subitement suivie d'un blanc, et les deux dernières syllabes (« luisants ») donnent la sensation d'un à-coup, répété par le court vers suivant (« eux aussi »), cette fois de trois syllabes. Et ainsi de suite.

Le poème « en cinémascope » est une suite de tableaux-images. Mais, comme cela a déjà été précisé, il ne s'agit nullement de tableaux fixes. Ceux-ci ne prennent un sens que grâce au mouvement que leur imprime la lecture. Le poème ne saurait être lu par segments, par pages ; il doit être approché dans un mouvement ininterrompu, tout comme un film qui, bien qu'il soit une série d'images fixes sur une pellicule, ne devient une œuvre cinématographique qu'au moment où défilent devant les spectateurs les 24 images/seconde. Le poème ne possède qu'un sens incomplet quand les pages-tableaux sont examinées sans lien les unes avec les autres. L'absence de ponctuation cherche d'ailleurs à bien inscrire le poème dans une continuité. *L'Amérique* exige en effet un déroulement sans interruption que les signes de ponctuation auraient haché. Même à la toute fin, il n'y a pas de point. Le poème reste ouvert, prêt à être « rejoué ». Ainsi, puisque le poème commence par « Mots », l'absence de fin, le « no ending », suggère la reprise des « mots », la reprise du poème entier. « No ending » rappelle aussi, bien sûr, ces vieux films où un THE END mettait invariablement un terme à l'histoire des personnages après la dernière image. Ici « no ending » souligne que l'Amérique (si souvent personnifiée dans le texte) ne connaît pas de fin.

Les procédés d'écriture et la satire

De nombreuses figures de style sont utilisées fréquemment dans *L'Amérique*: la personnification, l'énumération, l'hyperbole, l'antithèse, l'oxymore, la comparaison et la métaphore. Toutes permettent ou contribuent en partie à la tonalité satirique du poème.

La personnification donne une apparence ou des fonctions humaines à une abstraction, un sentiment, une chose ou... une nation; elle permet de rendre plus vivante l'évocation de ce qui n'est pas humain. Jean-Paul Daoust l'utilise donc pour personnifier l'Amérique elle-même. Dans de nombreux passages, il ne s'agit plus d'un pays, d'une nation, mais d'une entité physique qui pense, mange, dort ou souffre comme un humain. Cela permet au poète de mieux souligner les extravagances et les horreurs de l'Amérique, ainsi qu'il le fait, par exemple, à la page 118, à partir du vers 2 104: « L'AMÉRIQUE agite/les mains/les bagues/et d'autres pierres précieuses/rutilants remparts/contre l'ennui ». Évidemment satirique, la phrase dénonce par la satire l'étalage de la richesse à laquelle recourent les nantis pour tenter de nier l'ennui que distille leur confortable vie dorée. Plus loin, la personnification donne lieu à une évocation plus inquiétante qui n'est pas sans rappeler le roman *1984* de George Orwell (1903-1950) : « L'AMÉRIQUE architecte le mental/as you wish/l'utopie du bonheur » (v. 2590-2592), ou encore : « L'AMÉRIQUE/s'autodéfense à coups de milliards » (v. 3306-3307). À la page 45, l'aliénation de la société américaine dans la recherche de l'argent gagné facilement à Las Vegas atteint un paroxysme grâce aux personnifications du soleil (« où le soleil sèchement reste au dehors/à mendier » — v. 645-646), des rêves (« car les rêves se tuent ici/dans les accidents de la chance » — v. 649-650) et de l'argent (« l'argent aurait-il du sang ? » — v. 651).

Procédé d'écriture plus simple que la personnification, l'énumération définit un ensemble en alignant ses constituants. Par exemple, à la page 112, les vers 1994 et 1995 donnent quatre types d'armes employées par l'Armée américaine et, plus loin, aux pages 169 et 170, le poème se livre à une longue énumération des maux de l'Amérique[8]. Dans ces deux énumérations, les éléments sont homogènes, mais il n'en va pas toujours ainsi. Souvent, l'énumération devient un moyen de mettre en relation des univers distincts dont le rapprochement crée un effet de surprise. Ainsi, au bas de la page 51, une énumération regroupe Aspirine, Tylenol et Columbia. Alors que les deux premiers sont des analgésiques qui combattent les maux de tête, Columbia est une navette spatiale qui fut plutôt la cause de bien des maux de tête pour les responsables politiques et ceux de la NASA qui, après l'explosion de

8. Placée dans les dernières pages du poème, cette énumération est en fait un récapitulatif des maux de l'Amérique qui ont été évoqués.

Challenger, en janvier 1986, hésitaient à entreprendre un autre vol, craignant une nouvelle catastrophe[9]. L'hétérogénéité des éléments en présence confère toute leur force aux vers qui suivent et renforce la critique de la nation américaine: « mais sur place/les châteaux/tombent/aux mains d'enfants incultes » (v. 787-790). Dans la réalité, l'Amérique n'est pas toujours le monde de rêves qu'elle veut être. À d'autres moments, l'énumération devient un véhicule de la satire. Par exemple, les vers 1 164 à 1 167 de la page 71 donnent une énumération d'éléments qui soulignent le vieillissement chez les personnes âgées (« et derrière les perruques/les cataractes/les lunettes/les dentiers »), ce qui rend d'autant plus ridicule leur volonté de vouloir tout recommencer: « ils chantent avec Peggy Lee/I'm ready to begin again » (v. 1 168-1 169). En fait, *L'Amérique* lance ici une pointe contre le culte de la jeunesse, cette valeur que les Américains ont élevé au rang de nécessité pour atteindre le bonheur.

Le poème de Jean-Paul Daoust use aussi de l'hyperbole, un procédé qui consiste à employer des termes excessifs dans l'expression d'une réalité, d'une idée ou d'une abstraction afin de la mettre en évidence. L'Amérique étant une nation où le superlatif est monnaie courante, Jean-Paul Daoust reproduit telles quelles plusieurs de ces phrases à l'emporte-pièce dont les Américains ont le secret. Un exemple, parmi tant d'autres: « à Lantana/le plus gros sapin de Noël au monde/à West Palm Beach/la rue la plus riche au monde » (v. 1 337-1 340). En d'autres endroits, l'hyperbole se fait plus grinçante et contient une allusion

9. La navette Columbia s'est désintégrée au-dessus du Texas à son retour sur terre le 1er février 2003.

négative ou menaçante : « mais ce pays n'est encore qu'un bébé/qu'un enfant superman/qui se fait les dents » (v. 1 403-1 405). Cette façon de tempérer l'hyperbole devient parfois plus évidente et crée un sentiment d'admiration et de malaise conjugués : « une divinité américaine/aux lèvres somptuaires/moulées sur l'ennui/la maladie la plus répandue » (v. 1 512-1 515), ou encore : « la chair éblouissante de nos sourires/engluée dans la gélatine des écrans » (v. 3 335-3 336). Dans le poème, l'hyperbole ne reste donc pas à la solde du discours superlatif américain. Elle prend ses distances, grâce à des effets contrastés qui rendent perceptibles, souvent en quelques mots, toute la grandeur et la décadence de l'Amérique : « à Philadelphie le centre de l'histoire vivante/transforme/les cerveaux en céréales » (v. 1 539-1 541).

Dans *L'Amérique*, les figures d'opposition, l'antithèse et l'oxymore, sont nombreuses. Les antithèses relèvent parfois de simples statistiques, mises bout à bout, desquelles se dégage une contradiction. Ainsi, à la page 133, le poème précise que l'espérance de vie était de 48 ans au début du siècle, mais que la science permettra bientôt de prolonger la vie au delà de 100 ans, avant d'informer le lecteur que Washington est la capitale… du meurtre, avec « 489 homicides en 1991 » (v. 2 424). La société américaine se bat pour reculer l'échéance de la vie, mais c'est dans sa capitale même qu'un individu risque le plus de se faire assassiner. Le poème use aussi de quelques oxymores [10], le plus souvent pour décrire les contradictions de

10. C'est-à-dire une opposition qui rapproche deux mots de sens ou de valeur contraire, et de nature grammaticale différente.

la société américaine : « gadgets[11] obsolètes » (v. 431), « mirages/de plastique » (v. 694-695), enfant superman (v. 1 404), « Rimbaud écarlates[12] » (v. 2 374), « anges[13] affamés » (v. 2 490), ou pour glisser quelques pointes d'ironie : « L'Amérique [...] opéra[14] folklorique » (v. 2 763). L'opposition est d'ailleurs fréquemment ironique, surtout quand elle définit l'Amérique « cette civilisation/à l'apogée de ses chimères » (v. 1 554), voire satirique, quand elle illustre des réalités sociales américaines : « et là [...] surfent de jeunes divinités blondes/là la vieillesse rôde autour/des piscines chauffées » (v. 1 150-1 152) ; « là les artistes osent créer des merveilles/de névrose » (v. 1 583-1 584).

Les comparaisons vont souvent dans le même sens et permettent des rapprochements inusités et troublants entre des idées, des valeurs ou des éléments opposés : « et ces maisons si blanches/comme des stèles funéraires » (v. 1 315-1 316) où les banlieues cossues sont perçues comme des lieux morts ; « et la nuit continue/de s'habiller de strass/comme ses villes dans la peur » (v. 1 887-1 889) où le côté spectaculaire et clinquant de la culture est opposé à la criminalité des villes ; « quatre à cinq mille personnes succombent/à la drogue/ce ne sont pas seulement les vieux/qui regardent maintenant leurs rêves/

11. Par définition (voir le *Petit Robert*) un gadget est une nouveauté, un objet nouveau.

12. Le jeune poète français Rimbaud (1854-1891) est pâle et maladif sur les photos qu'on a conservées de lui.

13. Un ange ne mange jamais ; il ne saurait donc être affamé.

14. Un opéra est un type d'œuvre qui s'oppose aux productions artistiques du folklore.

tomber/comme des étoiles/du ciel américain » (v. 2 263-2 269) où le grave et vaste problème de la drogue est remis dans le contexte des nombreuses vies brisées dont il est la cause.

Les métaphores, baroques à souhait, poussent encore plus loin que les comparaisons la satire des mœurs. Ainsi, à la page 75, à partir du vers 1 256, où est décrite la « culture » des vacanciers de la Floride, le poème parle d'un « amas d'immenses plantes tropicales/où accoudé à un Steinway noir/un restant de guimauve chantonne/is that all there is ». Le « restant de guimauve » est, bien sûr, un de ses *crooners* vieillissants dont les chansons (« la guimauve ») sucrées sont susurrées dans des pianos-bars de la Floride qui possèdent tous un Steinway. Plus loin, à la page 91, l'Amérique est décrite comme un « bacille de richesse » (v. 1 572) aux « yeux d'enfant unique » (v. 1 573), dont les exigences « stipulent/un lavage de cerveau » (v. 1 578-1 579). Parfois, la métaphore se fait même étrangement prophétique à la lumière des événements du 11 septembre 2001 [15] : « les avions ouvertement font des cicatrices/dans le bleu universel/du ciel/de L'AMÉRIQUE » (v. 3 237-3 240).

Principalement véhiculée par les figures de style, la tonalité satirique de *L'Amérique* l'est également par les statistiques aberrantes que collige malicieusement le poème : ainsi, à la page 104, vers 1 824 à 1 828, « le département de l'agriculture a dépensé 57 000 $/pour

15. Soit près de dix ans après la publication de *L'Amérique* en 1993.

savoir/qu'il faut en moyenne 0,79 minute/pour/sortir un œuf du réfrigérateur » ; ou encore, à la page 143, vers 2 611 à 2 617, « le département de la Défense/a consacré 457 800 $ pour/comparer les mensurations des hôtesses/de l'air ?/où/84 000 $ ont été alloués pour savoir pourquoi/les gens tombent amoureux ? » Néanmoins, il ne faut pas oublier que toutes ces extravagances participent à l'aspect magique de cette civilisation à laquelle le poème rend aussi hommage, « car là la poésie des chiffres/est vivante » (v. 2 567-2 568). Dans cette Amérique folle et grandiose, rien ne semble impossible : « ah L'AMÉRIQUE/nouveau/paysage mythique/où les rêves s'agglutinent/aux ailes des avions/comme des mots sur la page d'un conte de fées » (v. 1 391-1 395) : sa naïveté de bébé puissant, c'est bien ça qui la rend dangereuse.

Quelques notes sur les mots en majuscules

Hormis L'AMÉRIQUE/AMERICA et les sigles qui ne peuvent être écrits autrement (CIA, FBI, CNN, ONU), seuls cinq mots sont en majuscules : « MONTRÉAL » (v. 201), « AMERICAN » (v. 1741), « NO VACANCY » (v. 2 115), « IMAGE WORLD » (v. 2 572) et « AMÉRIQUES » (v. 3 223). « IMAGE WORLD » semble mis en majuscules pour des raisons plutôt anecdotiques (les États-Unis alimentent effectivement les images du monde entier), et NO VACANCY, pour des raisons humoristiques (tout est occupé, il n'y a rien de libre en Amérique). « MONTRÉAL », « AMERICAN » et « AMÉRIQUES » sont plus significatifs.

Avec MONTRÉAL[16], le poète voulait rappeler à ses lecteurs québécois qu'ils sont des Américains. La disposition des mots appuie le propos : Montréal et l'Amérique sont perçus en opposition (« face à face » — v. 202) alors que ce sont des compléments (« corps à corps » — v. 203). On voudrait que l'Amérique ne soit qu'une « charmante voisine chez qui on va quêter/des illusions » (v. 197-198), mais elle entre dans nos vies par sa culture : « les écrans de ses yeux » (v. 211) ; « ses danses aérobiques » (v. 214) ; le « rock'n'roll » et le « rap » (v. 221-222).

« AMERICAN » fait référence à l'individu américain. Devant la grandeur de la nation, on oublie trop souvent qu'elle est formée d'hommes et de femmes qui sont des Américains. Eux voient cette société comme la leur : ils sont au centre de cette splendeur et de ce gâchis qu'est tout à la fois cette société.

Enfin, « AMÉRIQUES » est écrit juste avant une énumération (« mayas/incas/aztèques » — v. 3 224-3 226) d'anciennes civilisations qui ont connu leur apogée bien avant que le continent soit même nommé AMÉRIQUE. C'est un hommage envers ce qui a été, et un rappel, mais sans allusion apocalyptique, que toutes les civilisations passent, ce qui est d'autant plus inquiétant pour la civilisation américaine farouchement décidée à toujours nier la mort.

16. On remarquera l'accent sur le E, car il s'agit bien du Montréal francophone. La langue ne nous immunise pas contre notre propre américanité.

LA RÉCEPTION DE L'ŒUVRE

L'Amérique a été fort bien accueilli par la critique. Les trois chroniqueurs de la revue *Lectures* (décembre 1993), sensibles à l'aspect apocalyptique du texte, soulignent aussi les apports musicaux, picturaux et filmiques de l'œuvre. Dans le *Voir* du 3 février 1994, Danielle Laurin parle d'un poème-fleuve, immense, d'une « fresque à la mesure de la démesure de l'Amérique », cependant que, dans *Le Devoir* du 5-6 mars 1994, Marie-Claire Girard souligne la dynamique très américaine d'une œuvre qui se donne à lire comme une mise en scène, un spectacle. Le court billet d'André Roy dans le *Fugues* d'avril 1994 rend hommage à la qualité de l'œuvre. Enfin, Daniel Montpetit, dans le *Campus* du 5 octobre 1994, souhaite voir le texte mis en musique, tant son langage poétique lui paraît riche de sonorités mélodieuses.

L'ŒUVRE EN QUESTIONS

PREMIÈRE PARTIE (p. 13-33, v. 1-420)

1. Expliquez le sens satirique de la métaphore des vers 31 à 36.
2. Expliquez le sens politique de la métaphore des vers 70 à 72.
3. Donnez et justifiez le sens connoté des énumérations suivantes :
   a) vers 83 à 85 ;
   b) vers 87 à 90 ;
   c) vers 94 à 96.
4. Les vers 129 à 132 relèvent-ils de l'antithèse ou de la corrélation ? Expliquez.
5. En un mot, qu'évoque l'énumération des vers 140 à 143 ?
6. En un mot, qu'évoque l'énumération des vers 163 à 165 ?
7. Justifiez l'expression familière du vers 166.
8. Que constate le vers 183 ? Quelle critique y est suggérée ?
9. Que sous-entend le vers 196 ?
10. Quelle est la double connotation introduite par les vers 236 et 237 ?

11. Expliquez la connotation du mot *hamburger* au vers 264 et justifiez-en l'emploi.
12. Expliquez la métaphore des vers 282-283.
13. Que veut dire l'affirmation des vers 339 à 342 ?
14. Pourquoi le silence a-t-il disparu ? Pourquoi les actes sont-ils des poses, des ombres à la page 31 ?
15. Aux vers 399-400, à quoi renvoient *Washington* et *Hollywood* ? Expliquez.
16. Qu'est-ce que *l'écran glauque* du vers 401 ? Quelle est son utilité ?
17. Quels usages des radiations sont évoqués à la page 33 ?

DEUXIÈME PARTIE (p. 34-52, v. 424-790)

18. Commentez la comparaison dont le noyau se trouve aux vers 469 et 470.
19. Identifiez et commentez la figure de style du vers 478.
20. Quelles figures de style se déploient aux vers 479 et 480 ? Expliquez-en le sens.
21. Quel sens donne l'adjectif *palimpsestes* au nom *yeux* du vers 481 ?
22. Expliquez les causes de la peur exprimée dans les vers 517 à 524.
23. Quel est le sens du mot *étoiles* au vers 553 ?
24. Commentez le propos écologique des vers 563 à 585.
25. Des vers 603 à 609, commentez l'hommage fait au dynamisme de l'Amérique et la pointe satirique que le poème ne peut s'empêcher d'y ajouter.
26. Pourquoi les hamburgers ont-ils des dents au vers 616 ?

27. Que sont les *copies artificielles* du vers 647 ?
28. Comment le poème parvient-il à décrire les touristes de Las Vegas (v. 661-678) ?
29. Expliquez le double sens du mot *jet* au vers 681.
30. Expliquez le double sens du mot *carte* au vers 721.
31. Commentez la satire du football des vers 755 à 759.
32. Commentez l'hommage à la musique rock des vers 760 à 765.
33. Expliquez la métaphore des vers 770 et 771.

TROISIÈME PARTIE (p. 52-56, v. 794-862)

34. Expliquez le sens métaphorique de l'hyperbole du vers 803.
35. Quels champs lexicaux sont présents aux vers 836 à 843 ? Précisez les connotations auxquelles leur association donne lieu.
36. Expliquez le sens de l'hyperbole des vers 850 à 853.

QUATRIÈME PARTIE (p. 56-66. v. 866-1 068)

37. Identifiez et commentez la comparaison des vers 886 à 889.
38. Identifiez et commentez la comparaison des vers 915 à 920. (N'oubliez pas de tenir compte de la précédente mention d'Uranus au vers 858.)
39. Expliquez le sens ironique de la personnification au vers 921.
40. Expliquez l'antithèse du vers 939.

41. Expliquez l'incongruité du dernier terme de l'énumération au vers 995.
42. Au vers 1014, quel est le double sens du mot *témoins* dans l'énumération ?
43. Relevez et commentez les deux comparaisons à la page 65.

CINQUIÈME PARTIE (p. 66-84, v. 1 072-1 440)

44. Expliquez la charge politique de la métaphore des vers 1 097 à 1 099.
45. Justifiez les nombreuses répétitions de la page 69.
46. Que souligne l'énumération des vers 1 164 à 1 167 ?
47. Que souligne l'énumération des vers 1 176 à 1 178 ?
48. Relevez et expliquez les comparaisons de la page 73.
49. Relevez et expliquez la comparaison de la page 76.
50. Commentez la métaphore des vers 1 307 à 1 309.
51. Commentez la comparaison des vers 1 312 à 1 314.
52. Commentez la comparaison des vers 1 315 à 1 320.
53. Justifiez la disposition graphique des mots du vers 1 347.
54. Justifiez les trois comparaisons de la page 81.
55. Quelle interrogation soulève le rapprochement statistique des vers 1 435 à 1 440 ?

SIXIÈME PARTIE (p. 85-92, v. 1 444-1 587)

56. Expliquez le vers 1 485.

57. À la page 88, quelle est la maladie la plus répandue en Amérique ? Décrivez-la.
58. À la page 89, comment l'art et la culture sont-ils perçus par l'Amérique ?
59. Commentez la comparaison des vers 1 568 à 1 570.

SEPTIÈME PARTIE (p. 92-180, v. 1 591-3 352)

60. Commentez les vers 1 597 à 1 605.
61. Commentez les vers 1 649 à 1 653.
62. Commentez les vers 1 698 à 1 704.
63. Quel champ lexical parcourt la page 100 ? Quelle idée soutient-il ?
64. Quel phénomène racial exposent les vers 1 802 à 1 813 ?
65. Quelles idées émergent à la lecture de la page 104 ?
66. Justifiez l'emploi des trois adjectifs aux vers 1 938 à 1 940.
67. Commentez la comparaison aux vers 1 965 à 1 967.
68. Expliquez les métaphores des vers 2 047 à 2 052. Donnez-en l'unité.
69. Commentez les vers 2 081 à 2 084.
70. Justifiez l'emploi de la personnification aux vers 2 094 à 2 114.
71. Commentez les question et réponse des vers 2 383 à 2 397.
72. De la page 127 à 131, relevez les principaux points forts des symboles américains que sont Coke et Pepsi. Donnez cinq exemples qui soulignent l'absurdité de cette toute-puissance.

73. À la page 133, départagez les bons des mauvais aspects de la vie américaine.
74. Le Costa Rica étant un pays du Tiers-Monde, que voir dans les vers 2 452 à 2 454 ?
75. Commentez les propos de Walt Disney aux vers 2 729 à 2 731. Sont-ils rehaussés ou démentis par les autres informations livrées à la page 149 ? Expliquez.
76. Relevez et commentez le calligramme de la page 153.
77. Commentez les vers 2 883 à 2 900.
78. À la page 165, commentez la vision que donne le poème de la poésie et de la littérature.
79. Dégagez le sens du petit conte qui parcourt les vers 3 243 à 3 274.

HUITIÈME PARTIE (p. 181, v. 3 355)

80. Commentez les deux mots qui constituent cette partie.

VERS LA DISSERTATION CRITIQUE

SUJETS DE DISSERTATION CRITIQUE PORTANT SUR L'ŒUVRE COMPLÈTE

SUJET 1

Le poème *L'Amérique* se révèle-t-il équilibré dans l'évocation qu'il fait des grandeurs et des misères de la civilisation américaine ?

Questions préparatoires

1. Dans le poème, relevez cinq points forts de la société américaine.
2. Dans le poème, relevez cinq points faibles de la société américaine.
3. Trouvez cinq passages où de beaux côtés de l'Amérique sont atténués par la satire. Commentez la force du propos satirique.
4. Trouvez cinq passages où de beaux côtés de l'Amérique sont ensuite mis en opposition avec de moins reluisants. Commentez l'opposition.

5. Trouvez cinq passages où de tristes aspects de l'Amérique trouvent une solution. Commentez la valeur de cette solution.
6. Trouvez cinq passages où de tristes aspects de l'Amérique sont inévitables pour toute société. Commentez leur importance chez les Américains.

SUJET 2

Peut-on affirmer que le poème rejette plus qu'il n'encense la culture américaine ?

Questions préparatoires

1. Comment le poème parle-t-il du cinéma américain ? Relevez trois bons et trois mauvais commentaires ou trois citations qui évoquent un mythe ou une œuvre cinématographique.
2. Comment le poème parle-t-il de la musique américaine ? Relevez trois genres de musique mentionnés par le poème et les commentaires faits sur chacun d'eux.
3. Comment le poème parle-t-il de la télévision ? Relevez les commentaires relatifs à trois émissions ou genres d'émissions cités.
4. Donnez trois exemples de phénomènes culturels encensés par le poème.
5. Donnez trois exemples de phénomènes culturels critiqués par le poème.
6. Identifiez trois mythes propres à la culture américaine. Que dit le poème sur eux ?

SUJET DE DISSERTATION CRITIQUE PORTANT SUR UN EXTRAIT (v. 2 464-2 550, p. 136-140)

Sujet

Dans cet extrait de *L'Amérique*, la richesse est opposée à la pauvreté. Le poème affirme-t-il que celle-ci est causée par celle-là ?

Questions préparatoires

1. Comment l'opposition des deux termes est-elle présentée ? Lequel des deux semble déjà l'emporter ? Pourquoi ?
2. Comment la futilité de l'argent est-elle exposée ?
3. Quel champ lexical traverse l'évocation de la masse des pauvres ? Quels sujets liés à la pauvreté sont ainsi discrètement abordés sans être directement nommés ?
4. Quelle attitude ont les riches envers les pauvres ? Commentez-la.
5. Qu'est-ce qui est dit de la responsabilité du système social ?
6. Pourquoi certains Américains ne votent-ils jamais ?
7. Qu'est-ce que la misère engendre au sein des prisons ? Quelle vision est globalement donnée à propos de ce milieu ?

SUJETS DE DISSERTATION CRITIQUE COMPARATIVE ENTRE DEUX EXTRAITS

Sujet

L'insouciante et puissante Amérique est-elle présentée sous un jour semblable dans les extraits suivants de *L'Amérique* et de *Cette grenade dans la main du jeune Nègre est-elle une arme ou un fruit?*

Extrait 1

L'Amérique **de Jean-Paul Daoust, XYZ éditeur, v. 1 391 à 1440.**

ah L'AMÉRIQUE
nouveau paysage mythique
où les rêves s'agglutinent
aux ailes des avions
comme des mots sur la page d'un conte de fées
mais L'AMÉRIQUE
ses époques
le Watergate
le macarthisme
les lois anti-prohibition
le Cotton Club

le FBI ou la CIA
mais ce pays n'est encore qu'un bébé
qu'un enfant superman
qui se fait les dents
L'AMÉRIQUE disparaîtra dans un bain de feu et de sang
no one will survive
disent les prophéties
Grand Canyon
le fossé le plus profond du globe
que vous pouvez visiter en avion-taxi
que les Japonais photographient
là gisent des empreintes
de deux cents millions d'années
des fossiles
de cinq cents millions d'années
et tout au fond des traces
de deux milliards d'années
L'AMÉRIQUE une transplantation réussie
un lifting secret
une abdominoplastie nécessaire

les dinosaures se sont remaquillés
ils reviennent se venger
au nom de la Liberté
L'AMÉRIQUE
le plus vieux pays du monde
le commencement de la fin
dans son silex des résidus
d'histoires d'amour
de plantes primitives
mais comment L'AMÉRIQUE traite-t-elle
ses autochtones ?
ses réserves
ses camps de concentration
L'AMÉRIQUE
ses ghettos noirs
où en 1981 il y a eu autant de Noirs assassinés
que d'Américains au Viêt-nam en douze ans
et ces chiffres ont triplé
entre 1985 et 1990

Questions préparatoires

1. Relevez l'allusion faite au mythe de l'Amérique. Comment ce mythe est-il présenté ? Quelle tonalité emploie le poème ? À quoi la dimension mythique est-elle liée ?
2. En quoi les époques énumérées aux vers 1398 à 1402 ne relèvent justement pas du conte de fées ?
3. Comment l'infantilisme et la fausse innocence de l'Amérique sont-ils évoqués ? Quelle image illustre le mieux ce rapprochement ? Que cache cette fausse innocence américaine ? Constitue-t-elle un danger réel ? Prouvez-le à l'aide d'au moins un vers.
4. Qu'est-ce que certains prophétisent au sujet de l'Amérique ? Le poème donne-t-il un total crédit à ces propos ? Expliquez.
5. Comment le poème évoque-t-il l'oubli du passé ?
6. Selon le poème, à quoi est attribuable la jouvence perpétuelle de la nation américaine ?
7. Comment le poète souligne-t-il la différence entre la majorité blanche et les autres minorités américaines ?

Extrait 2

***Cette grenade dans la main du jeune Nègre est-elle une arme ou un fruit?*, VLB éditeur, 1993, p. 16-17.**

Donc, je suis allé un peu partout en Amérique du Nord. J'ai regardé vivre les Noirs, les Blancs, les Rouges, les Jaunes. Un peu tout le monde quoi ! Eh bien ! mon vieux : TOUT CE QU'ON DIT DE L'AMÉRIQUE EST VRAI. Elle intègre tout. Ventre mou de la Terre. Dernier peuple innocent. À côté d'eux, les Boshimans font figure de rusés diablotins. Vous vous dites : Hé quoi ! Il reprend ce vieux cliché de l'Amérique innocente, c'est fini depuis longtemps tout ça, vieux… Eh bien ! non, frère, ça marche encore. La mécanique fonctionne comme si elle était encore neuve. Faut dire que deux cents ans c'est à peine un clin d'œil dans l'histoire de l'humanité, vraiment rien. L'Amérique est un bébé trop bien nourri. Un bébé cadum. Et les Américains vivent entre eux comme si personne d'autre n'existait sur le continent. Sur cette planète. J'ai le sentiment de voir évoluer devant moi, dans cette station d'essence où je fais le plein en ce moment, de magnifiques barbares. De jeunes étudiants d'Indianapolis (chaque État a une plaque d'immatriculation différente) jouent au football parmi les voitures et les pompes. Ils portent de larges t-shirts aux couleurs de leur université. Ils sont blonds, grands, athlétiques. (T'es sûr que t'en mets pas un peu là ? Non, frère, ils sont vraiment comme dans nos rêves.) Chacun de leurs gestes paraît neuf comme si ces jeunes gens n'étaient pas reliés à la chaîne humaine. Ils sont uniques. Ils dévorent des tonnes de hamburgers, boivent des fleuves de Coca-Cola et passent la moitié de leur vie devant la télévision. Ils prient tous les dieux imaginables et aussi un seul Dieu. Ils tuent de toutes les manières possibles. Ils ne connaissent pas le remords. Le monde est entre leurs mains comme un jouet d'enfant. Ils le cassent, le réparent. Ils ignorent le passé et méprisent l'avenir. Ce sont des dieux. Et leurs Nègres sont des DEMI-DIEUX.

Questions préparatoires

1. Relevez l'allusion faite au mythe de l'Amérique. Comment ce mythe est-il présenté ? Quelle tonalité emploie la narration ? À quoi la dimension mythique est-elle liée ?
2. Le passé a-t-il un ascendant sur l'Amérique ? Pourquoi ? Qu'est-ce que cela donne comme avantage à l'Amérique ?
3. Comment l'infantilisme et la fausse innocence de l'Amérique sont-ils évoqués ? Quelle image illustre le mieux ce rapprochement ? Que cache cette fausse innocence américaine ? Constitue-t-elle un danger réel ? Prouvez-le à l'aide du texte.
4. Comment le roman évoque-t-il l'oubli du passé ?
5. Selon cet extrait du roman, à quoi est attribuable la jouvence perpétuelle de la nation américaine ?
6. Comment le romancier souligne-t-il la différence entre la majorité blanche et les autres minorités américaines ?

Questions de comparaison

1. Les deux textes possèdent-ils la même tonalité ?
2. La jeunesse de l'Amérique est-elle l'élément dynamique de cette nation dans les deux textes ? Comment cela influence-t-il les mœurs et la culture de cette société ?
3. Les pouvoirs et le destin de l'Amérique apparaissent-ils sous un jour semblable dans les deux textes ? Expliquez.

Tableau chronologique

	Jean-Paul Daoust	Culture	Politique et société	Culture, politique et société
Année	Vie et œuvre	Québec et Canada		Dans le monde
1946	Naissance à Valleyfield, le 30 janvier.		Création de la citoyenneté canadienne pour remplacer la sujétion britannique.	Fin du procès des criminels de guerre nazis à Nuremberg.
1956	Le père de Jean-Paul Daoust souffre de problèmes graves à l'aorte.		Le dernier tramway disparaît des rues de Montréal.	Elvis Presley inscrit pour la première fois un album rock en tête du Billboard américain. Marilyn Monroe fait la couverture du *Times Magazine* et épouse le dramaturge Arthur Miller. Décès du peintre Jackson Pollock.

	Jean-Paul Daoust	Culture	Politique et société	Culture, politique et société
Année	**Vie et œuvre**	**Québec et Canada**		**Dans le monde**
1957	Décès du père le 5 mai.	*Un simple soldat*, pièce de Marcel Dubé, est présentée à la télévision de Radio-Canada.	Prix Nobel de la paix décerné à L.B. Pearson.	*On the Road*, roman *beatnik* de Jack Kerouac. *West Side Story*, comédie musicale de Leonard Berstein.
1959	Été aux États-Unis chez la tante Aldora, propriétaire d'un bar au Michigan et qui accueillera dorénavant le jeune Jean-Paul durant les vacances estivales.	*Bousille et les justes*, pièce de Gratien Gélinas, obtient un succès considérable à la Comédie-Canadienne.	Décès de Maurice Duplessis, premier ministre du Québec.	L'Alaska et Hawaii deviennent les 49e et 50e États américains.

	Jean-Paul Daoust	Culture	Politique et société	Culture, politique et société
Année	**Vie et œuvre**	**Québec et Canada**		**Dans le monde**
1967	Début des études universitaires.	*Les cantouques*, poésie de Gérald Godin.	Le général de Gaulle crie « Vive le Québec libre ! » du balcon de l'hôtel de ville de Montréal. Ouverture des cégeps. Exposition universelle de Montréal.	Guerre des Six Jours entre Israël et les pays arabes voisins. Mort du révolutionnaire Che Guevara en Bolivie.
1970	Obtention d'une licence en Lettres de l'Université de Montréal.	*L'amélanchier*, roman de Jacques Ferron. *L'homme rapaillé*, poésie de Gaston Miron. *Kamouraska*, roman d'Anne Hébert. Première Nuit de la Poésie.	Crise d'octobre 1970 et application de la Loi des mesures de guerre qui conduit à l'arrestation de 453 personnes.	Achèvement de la construction des tours jumelles du World Trade Center, l'immeuble le plus haut du monde.

	Jean-Paul Daoust	Culture	Politique et société	Culture, politique et société
Année	Vie et œuvre	Québec et Canada		Dans le monde
1974	Obtention d'une maîtrise en Lettres de l'Université de Montréal. Devient professeur au département de français du cégep Édouard-Montpetit.	*Speak White*, poésie de Michèle Lalonde. *Le clitoris de la fée des étoiles*, poésie de Denis Vanier. Décès du poète Claude Gauvreau.	Élection à la majorité absolue du Parti libéral de P. E. Trudeau.	Affaire du Watergate : démission du président Nixon. Début de la série télévisée *The Little House on the Prairie.*
1976	*Oui, cher*, récit poétique (Cul Q). Premier texte publié. Il sert à l'obtention d'une maîtrise en création de l'UdeM.	Fondation de la revue *Estuaire.* *Filles-commandos bandées*, poésie de Josée Yvon.	Jeux olympiques de Montréal. Élection du Parti québécois de René Lévesque.	Décès du milliardaire Howard Hugues. Bicentenaire de la Révolution américaine.

	Jean-Paul Daoust	Culture	Politique et société	Culture, politique et société
Année	**Vie et œuvre**	**Québec et Canada**		**Dans le monde**
1977	*Chaises longues*, livre-objet, aux éditions Cul Q.	*Le temps maya*, poésie de Claude Beausoleil. *Que du stage blood*, poésie de Yolande Villemaire. Suicide de l'écrivain Hubert Aquin.	Adoption de la loi 101 à l'Assemblée nationale.	Jimmy Carter, président des États-Unis. *Star Wars*, film de George Lucas. Décès d'Elvis Presley.
1981	*Portraits d'intérieur*, poésie, aux Écrits des Forges.	*Provincetown Playhouse*, pièce de Normand Chaurette.	Réélection du Parti québécois de René Lévesque.	Ronald Reagan, président des États-Unis.
1982	*Poèmes de Babylone*, poésie, aux Écrits des Forges.	*Les rockeurs sanctifiés*, poésie de Lucien Francoeur. Anne Hébert obtient le prix Femina pour son roman *Les fous de Bassan*.	Panne générale de trois heures trente sur le Québec. Apparition du sida au Canada.	*First Blood*, film de Ted Kotchieff, dont le héros, nommé Rambo, est joué par Sylvester Stallone.

	Jean-Paul Daoust	Culture	Politique et société	Culture, politique et société
Année	**Vie et œuvre**	**Québec et Canada**		**Dans le monde**
1983	« Black Diva », poésie, *Lèvres urbaines* n° 5. *Soleils d'acajou*, roman (Nouvelle Optique).	*Une certaine fin de siècle*, poésie de Claude Beausoleil. Décès de Gabrielle Roy.	Le Canada accepte que les missiles Cruise américains soient testés sur son territoire.	Décès de Tennessee Williams. Lancement du disque compact.
1984	*Taxi*, poésie, aux Écrits des Forges.	*Poèmes et textes* de Nicole Brossard. *Volkswagen Blues*, roman de Jacques Poulin.	Le caporal Denis Lortie est l'auteur d'une fusillade à l'Assemblée nationale du Québec.	*Paris, Texas*, film de Wim Wenders sur un scénario de Sam Shepard. Décès du jazzman Count Basie.
1985	*Dimanche après-midi*, poésie, aux Écrits des Forges. *La peau du cœur et son opéra* suivi de *Solitude*, poésie, avec des tableaux de Roger H. Vautour, aux éditions Le Noroît.	*Comment faire l'amour avec un Nègre sans se fatiguer*, roman de Dany Laferrière. *Exit pour nomades*, poésie de Lucien Francoeur. *Action Writing*, poésie d'André Roy.	Démission de René Lévesque. Pierre-Marc Johnson, premier ministre du Québec. Élection des libéraux de Robert Bourassa.	Deuxième mandat à la présidence de Ronald Reagan. Le cyclone Gloria frappe New York.

	Jean-Paul Daoust	Culture	Politique et société	Culture, politique et société
Année	Vie et œuvre	Québec et Canada		Dans le monde
1986	*Les garçons magiques*, récits, chez VLB éditeur. Jean-Paul Daoust commence sa participation régulière au comité de rédaction (nº 38) de la revue *Estuaire*, dont le directeur devient peu après (nº 42) Gérald Gaudet en remplacement de Jean Royer.	*Being at Home with Claude*, pièce de René-Daniel Dubois. *Monsieur Désir*, poésie d'André Roy. *Le déclin de l'empire américain*, film de Denys Arcand.	L'Agence américaine de l'environnement interdit l'usage de l'amiante aux États-Unis, portant un dur coup aux exploitations minières québécoises.	Catastrophe nucléaire de Tchernobyl. Explosion en vol de la navette Challenger. Centenaire de Coca-Cola. Ouverture de Dollywood : parc d'attractions western de Dolly Parton. Fuite à Hawaii de Ferdinand et Imelda Marcos, dictateurs des Philippines.
1987	*Suite contemporaine*, poésie, aux Écrits des Forges.	*Les feluettes*, pièce de Michel Marc Bouchard.	Accord de libre-échange entre le Canada et les États-Unis.	Décès du pianiste Liberace. Décès du peintre et cinéaste Andy Warhol.

	Jean-Paul Daoust	Culture	Politique et société	Culture, politique et société
Année	**Vie et œuvre**	**Québec et Canada**		**Dans le monde**
1990	*Les cendres bleues*, poésie, aux Écrits des Forges (Prix de poésie du Gouverneur général). *Rituels d'Amérique*, poésie, avec des eaux-fortes de Jocelyne Aird-Bélanger, aux éditions Incidit. Études de doctorat à l'Université de Sherbrooke : le projet de création est le point de départ de *L'Amérique*.	Décès du peintre Jean-Paul Lemieux.	Échec de l'accord du lac Meech. Crise mohawk à Oka et à Kanesatake.	Début de la série télévisée *The Simpsons.* Réunification de l'Allemagne. L'Armée irakienne envahit le Koweït : amorce de la guerre du Golfe.

	Jean-Paul Daoust	Culture	Politique et société	Culture, politique et société
Année	Vie et œuvre	Québec et Canada		Dans le monde
1991	*Les chambres de la mer*, poésie, éditions L'arbre à paroles. *Les poses de lumière*, poésie, Le Noroît. *Du dandysme*, poésie-manifeste, éditions Trois. *Black Diva (selected poems 1982-1986)*, éditions Guernica. Traduction anglaise de Daniel Sloate.	*Le bruit des choses vivantes*, roman d'Élise Turcotte. *Terra incognita* de Louise Warren. *Anthologie de la poésie des femmes au Québec*, de Nicole Brossard et Lisette Girouard.	La Cour suprême statue que le fœtus n'est pas une personne humaine au sens légal de la loi. Le Bloc québécois de Lucien Bouchard devient un parti officiel.	La guerre du Golfe se solde par une victoire américaine. L'URSS est démantelée. Décès de Freddie Mercury, chanteur du groupe Queen. Décès de Gene Roddenberry, créateur de *Star Trek*.
1992	Enregistrement par l'auteur des *Cendres bleues* pour un livre voix/texte des éditions Artalect, Paris.	*Pour les amants*, poésie de François Charron.	Défaite du référendum pancanadien sur l'entente de Charlottetown.	Guerre civile et génocide au Rwanda. Début du conflit armé dans l'ancienne Yougoslavie. Exposition universelle de Séville.

	Jean-Paul Daoust	Culture	Politique et société	Culture, politique et société
Année	Vie et œuvre	Québec et Canada		Dans le monde
1993	*L'Amérique, poème en cinémascope*, poésie, avec des photographies de Robert Gautier, chez XYZ éditeur. « Lèvres ouvertes », poésie, *Lèvres urbaines* (n° 24). Jean-Paul Daoust devient directeur de la revue *Estuaire* (n° 70).	*Cette grenade dans la main du jeune Nègre est-elle une arme ou un fruit?*, récit de Dany Laferrière. *La love*, roman de Louise Desjardins. *L'avaleur de sable*, roman de Stéphane Bourguignon.	Le Canadien gagne la coupe Stanley et ses partisans mettent à sac le centre-ville de Montréal. Démission de Brian Mulroney. Kim Campbell, première ministre du Canada. Élection des libéraux de Jean Chrétien.	Bill Clinton, assermenté président des États-Unis. Premier attentat (à la bombe) au World Trade Center. Début de la série *X-Files* sur le nouveau réseau Fox.

	Jean-Paul Daoust	Culture	Politique et société	Culture, politique et société
Année	Vie et œuvre	Québec et Canada		Dans le monde
1994	*Poèmes faxés*, en collaboration avec Louise Desjardins et Mona Latif-Ghattas, aux Écrits des Forges. *Fusions*, poésie, avec des eaux-fortes de Jocelyne Aird-Bélanger, aux éditions Incidit. Boursier du Conseil des arts et des lettres du Québec, il réside dans le studio du Québec à New York.	*Le pavillon des miroirs*, roman de Sergio Kokis. *Le lièvre de mars*, de Louise Warren. *La lune indienne*, poésie de Yolande Villemaire. Décès de Gérald Godin.	Daniel Johnson devient premier ministre du Québec et remplace Robert Bourassa, démissionnaire en septembre 1993. Élection du Parti québécois de Jacques Parizeau. Le déficit du gouvernement canadien atteint 500 milliards de dollars.	Important tremblement de terre à Los Angeles (6.6 à l'échelle de Richter). Décès de l'écrivain Charles Bukowski. Inauguration du tunnel sous la Manche.

	Jean-Paul Daoust	Culture	Politique et société	Culture, politique et société
Année	**Vie et œuvre**	**Québec et Canada**		**Dans le monde**
1996	*111, Wooster Street,* poésie, chez VLB éditeur. *Taxi pour Babylone,* réédition de plusieurs des premiers recueils de poésie de l'auteur.	*La memoria,* roman de Louise Dupré.	Lucien Bouchard, premier ministre du Québec. Inondation au Saguenay.	Jeux olympiques d'été à Atlanta. Réélection de Bill Clinton à la présidence. Décès du peintre Roy Lichtenstein.
1997	*Les saisons de l'ange,* poésie, éditions Le Noroît.	*L'art du maquillage,* roman de Sergio Kokis. *Fleuves,* poésie de Paul Chanel Malenfant.	Inauguration du pont de la Confédération unifiant l'Île-du-Prince-Édouard au reste du Canada.	Décès d'Allen Ginsberg, poète et initiateur du mouvement hippie.

	Jean-Paul Daoust	Culture	Politique et société	Culture, politique et société
Année	**Vie et œuvre**	**Québec et Canada**		**Dans le monde**
1999	*Le désert rose*, roman, Stanké éditeur. *Blue Ashes (selected poems, 1982-1998)*, Guernica, traduction de Daniel Sloate. Réédition de *L'Amérique* chez XYZ éditeur.	Décès de Gratien Gélinas.	Réélection des libéraux de Jean Chrétien. Naissance du Nunavut.	George W. Bush, junior, président des États-Unis après des élections entachées d'irrégularités. Décès de Stanley Kubrick. La Terre compte 6 milliards d'êtres humains.
2001	*Les versets amoureux*, poésie, aux Écrits des Forges.	*Le corps en tête*, poésie de Claudine Bertrand.		Attentat terroriste du 11 septembre contre les tours jumelles du World Trade Center et le Pentagone.
2002	*Roses labyrinthes*, anthologie, Paris, Le Castor Astral.	*Dée*, roman de Michael Delisle.		Décès de la chanteuse Peggy Lee.

Bibliographie

Articles sur *L'Amérique* de Jean-Paul Daoust

BERTIN, Raymond, Marie-Ève PELLETIER et Danny TREMBLAY, « Les liaisons dangereuses : *L'Amérique* », *Lectures : le mensuel du livre*, vol. I, nº 4, décembre 1993.

GIRARD, Anne-Marie, « L'Amérique, une richesse », *Le Devoir*, 5 et 6 mars, 1994.

LAURIN, Danielle, « Des chiffres et des lettres », *Voir*, vol. VIII, nº 10, 3 février 1994.

MONTPETIT, Daniel, « Vices et vertus au pays de la démesure », *Campus*, vol. XV, nº 3, 5 octobre 1994.

ROY, André, « De l'Australie à l'Amérique », *Fugues*, vol. XI, nº 1, avril 1994.

Articles sur la poésie québécoise et l'américanité

CHASSAY, Jean-François, « L'autre ville américaine », *Montréal imaginaire*, Fides, 1992.

GONTHIER, Claude, « Patrick Straram ou la Constellation du Bison ravi », *Voix et Images*, nº 39, printemps 1988.

NEPVEU, Pierre, « Le poème québécois de l'Amérique », *Études françaises*, nº 26, 1990 (« L'Amérique de la littérature québécoise »).

Ouvrages sur la littérature québécoise et l'américanité

AUDET, Noël, *Écrire de la fiction au Québec*, Montréal, Québec/Amérique, 1990.

MAJOR, Robert, *Jean Rivard, ou l'art de réussir: idéologies et utopie dans l'œuvre d'Antoine Gérin-Lajoie*, Sainte-Foy, Presses de l'Université Laval, 1991.

MORENCY, Jean, *Le mythe américain dans les fictions d'Amérique*, Québec, Nuit blanche, 1994.

RICARD, François, *La génération lyrique: essai sur la vie et l'œuvre des premiers-nés du baby-boom*, Montréal, Boréal, 1992.

ROUSSEAU, Guildo, *L'image de la littérature américaine dans la littérature québécoise*, Sherbrooke, Naaman, 1981.

ROYER, Jean, *Introduction à la poésie québécoise*, Montréal, Leméac, coll. « Bibliothèque québécoise », 1989.

Table

Dossier d'accompagnement

Dans la même collection

Louis Hamelin, *Betsi Larousse ou l'ineffable eccéité de la loutre*, dossier présenté par Julie Roberge
Sergio Kokis, *L'art du maquillage*, dossier présenté par Frédérique Izaute
Micheline La France, *Le don d'Auguste*, dossier présenté par Raymond Paul

Cet ouvrage
composé en Minion corps 10,5
a été achevé d'imprimer
en mars deux mille trois
sur les presses de

Cap-Saint-Ignace (Québec).